黃河國家治理文獻集成（民國卷）第二十二册

《黃河國家治理文獻集成》編委會 編

總第八十六册

黃河地形圖圖志

吴南凱 編
董杰 編

内蒙古出版集團
内蒙古人民出版社

圖書在版編目（CIP）數據

黄河地形圖圖志 / 吴南凱編 ; 董杰編. -- 呼和浩特 : 内蒙古人民出版社, 2025. 8. --（黄河國家治理文獻集成）. -- ISBN 978-7-204-18455-2

Ⅰ. TV882.1

中國國家版本館 CIP 數據核字第 2025VC7737 號

黄河地形圖圖志

吴南凱　編

編　　者　董　杰
策劃編輯　何可欣
責任編輯　董立群
助理編輯　何可欣
裝幀設計　劉那日蘇　吉　雅　安立新
責任監印　王麗燕
出版發行　内蒙古出版集團　内蒙古人民出版社
地　　址　呼和浩特市新城區中山東路 8 號波士名人國際 B 座 5 層
網　　址　http：//www.impph.cn
印　　刷　内蒙古愛信達教育印務有限責任公司
開　　本　880mm×1230mm　1/16
印　　張　15
字　　數　200 千
版　　次　2025 年 8 月第 1 版
印　　次　2025 年 8 月第 1 次印刷
印　　數　1—1000 册
書　　號　ISBN 978-7-204-18455-2
定　　價　125.00 元

編纂委員會

引　言

千古河流成沃野，幾年沙勢自風湍。

得益于黄河冲積所帶來的疏松土質和有機物，中華先民利用石製工具開始了農業生産，并逐步發展出旱地粟作農業，『能够最大程度保障食物供給的穩定性，奠定了中華文明起源和形成的堅實基礎』〔一〕。而利用河水灌溉，提高區域可預測農業産量，『在産業史上起着最有决定性的作用』〔二〕。隨後，技術進步、經濟發展、人口增加，讓先民的文化生活大爲豐富。嚴文明先生評價道：『這是一場影響深遠的革命。』〔三〕在這場革命中，平衡水、沙、産、人四者之間的關係，始終是黄河治理的核心問題。四者關係一旦失衡，就容易引發諸多灾患。

歷史上，黄河下游因人口稠密、經濟發達，一直是學術界關注的重點。但自河源至今内蒙古托克托縣河口鎮的黄河上、中游區域，雖遠離王畿，人口稀疏，却也一直備受關注，人們逐步認識到黄河全流域治理是國家的重要任務。《漢書》載：『堤防之作，近起戰國，雍防百川，各以自利。』〔四〕没有全流域的協同治理，僅靠各地分段築堤，則黄河河患無法解决。秦建立了中國歷史上第一個中央集權大一統王朝，秦始皇東巡碣石，刻石銘記『决通川防，夷去險阻』〔五〕，開啓中央政府調動各要素治黃之先河，這『在中國，實質上是國家的一種職能』〔六〕。同時，國家通過對黃河的有效治理，爲沿黃流域人民群衆乃至其他地區人民群衆提供了重要的公共物品和産業支撑，成爲人民群衆眼中中央政府的功過評價指標之一。因此，治黃在增强沿黃各族群國家、政治、文化認同的基礎上，强化了中國大一統國家的合法性，成爲歷代國家治理能力的一個重要測度。

一、黃河治理維護了國家的社會穩定

從秦并六國到漢朝建立大一統國家，中國統一的多民族國家形成并得到初步發展。當時中央政府對所轄疆域有『北邊郡』和『内郡』之稱。内蒙古額濟納旗出土的居延漢簡有載，『貇（墾）田以鐵器爲本北邊郡毋鐵官印器内郡令郡以時博賣予細民毋令豪富吏民得多取販賣細民』，可以看出北邊郡是與内郡相對應的行政管轄區域。《史記》卷二十八『封禪書第六』載：『上乃遂去，並（并）海上，北至碣石，巡自遼西，歷北邊至九原。』〔七〕。《史記》卷三十『平準書第八』載：『天子北至朔方，東到太山，巡海上，並（并）北邊以歸。』〔八〕司馬遷多次提及北邊，足見統治者對北邊治理的重視。

漢武帝時，齊人延年提出從今内蒙古引黃河水經今北京一帶，向東注入渤海，以衛北部邊疆。『是時方事匈奴，興功利，言便宜者甚衆。齊人延年上書言：「河出昆侖，經中國，注勃海，是其地勢西北高而東南下也。可案圖書，觀地形，令水工準高下，開大河上領，出之胡中，東注之海。如此，關東長無水災（灾），北邊不憂匈奴，可以省隄（堤）防備塞，士卒轉輸，胡寇侵盜（盗），覆軍殺將，暴骨原野之患。天下常備匈奴而不憂百越者，以其水絶壤斷也。此功壹（一）成，萬世大利。」』[九]《史記》卷二十四『樂書第二』載：『天馬來兮從西極，經萬里兮歸有德。承靈威兮降外國，涉流沙兮四夷服。』[十]如今，包頭地區出土了『四夷盡服』瓦當，出土文物與傳世文獻的呼應，成爲黄河治理維護祖國北部邊疆穩定的見證。

《史記》卷三十『平準書第八』載：『嚴助、朱買臣等招來東甌，事兩越，江淮之閒（間）蕭然煩費矣。唐蒙、司馬相如開路西南夷，鑿山通道千餘里，以廣巴蜀，巴蜀之民罷焉。彭吳（吴）賈滅朝鮮，置滄海之郡，則燕齊之閒（間）靡然發動。及王恢設謀馬邑，匈奴絶和親，侵擾北邊，兵連而不解，天下苦其勞，而干戈日滋。』[十一]清代《汾陽縣志》卷十三『藝文』收録曹學閔《開修黄蘆嶺車路紀德政碑記》，上載：『永寧州，界連西陲，北達邊外歸綏諸路，商賈遠貿粟麥，泛皮船隨黄流南下，聚于州西磧口，一府之民仰利賴焉。而東至太原，南抵平陽，州縣凡二十餘，亦視汾爲橐籥，蓋所繫非特一方生計矣。』[十二]民國時期，東北淪陷後，開發西北刻不容緩，而『黄河中游之水利，自應加以擴充及整理，藉（借）收桑榆之效，以挽狂瀾於（于）萬一』[十三]。

因黄河流域自然條件優越，歷朝歷代都十分重視對此地的開發，通過强有力的國家干預方式推動各類産業的發展，爲中國北部疆域的形成和社會穩定奠定了基礎。

二、民族交往、物資交流、技術轉移促成黄河治理共同體

《史記》卷十五『六國年表第三』載：秦始皇三十三年（前214），『築長城河上，蒙恬將三十萬』[十四]。這數十萬人中，擁有一技之長的人員不在少數。由此，邊地人口不斷增多，而豐富的物産則促進了商品交流與統一市場的形成。西漢《鹽鐵論·力耕第二》記録了『异物内流』的情形：『是以贏（騾）驢馲馳（駝），銜尾入塞，驒騱騵馬，盡爲我畜，鼲鼦狐貉，采旃文罽，充於（于）内府，而璧玉珊瑚瑠（琉）璃，咸爲國之寶。』[十五]此後，黄河北岸的『贏（騾）驢馲馳（駝）』『驒騱騵馬』『鼲鼦狐貉』『采旃文罽』與西南織錦、中原麻織、農作物等物資相互交流，逐步形成統一的國内大市場，加强了邊疆與其他地區的經濟聯繫，促進了邊疆特色産業的發展。

隨着民族交往交流交融的增强，清代以降，黄河流域内蒙古段輸入到内地的也不僅僅是『异寶』了。《綏遠通志稿·水路》載：『自乾隆以還。口外墾殖日廣。民殷物阜。出境之油、糧、鹽、鹼（碱）、甘草各貨。入境之日用雜貨。山西與歸綏往來之商運。凡經河路者皆以托屬河口爲唯一之碼頭。』[十六]從清乾隆年間到民國時期，由内蒙古經黄河運到山西的貨物有糧、油、鹽、碱、藥材、皮毛等，其中以糧油爲最大宗。糧食品種主要有糜黍、穀子、高粱、豆類及玉米、大小麥

等，油料主要是胡麻。内蒙古供貨支綫有從阿拉善盟阿拉善左旗吉蘭泰鹽池到山西吕梁市磧口鎮的運鹽駝路，五原縣、臨河區一帶各大幹渠的運糧水道，杭錦旗、達拉特旗的甘草馱運綫，鄂托克旗的運碱駝路。内蒙古段各條支綫以供貨爲主，山西段若干支綫以運銷爲主。

《臨縣志》載：『清朝乾隆至民國年間，陝、甘、綏、蒙等地的物資，通過此航綫運達磧口，再用牲口馱運到離石、吴城，轉運至東路（汾、平、介、孝等縣）。據民國20年（1931）統計，每年從綏遠磴口航至磧口的貨船不下4000餘艘』，『是陝、甘、綏、寧與晋西北物資集散之重鎮』。〔十七〕可見，内蒙古在甘肅、寧夏與陝西、山西等沿黄上下游物資交易中起到了重要的聯結作用；同時也吸引了山西、陝北、河北、山東、甘肅等地的農民遷移至此，并將開渠打壩、引水澆地等農業生産技術、手工技術和商業貿易經營方式帶到這裏。他們在此扎根，除了從事農業生産外，還挖甘草、下窑背炭、在黄河上拉船、在沙漠中拉駱駝、打短工放冬羊、開碾磨油坊，等等。不同地域、不同民族的人們合力修築河渠、引水興業，逐漸形成休戚與共的共同體。其間積纍的産品交易、商業管理、社會治理等方面的經驗，在今天依然有借鑒意義。

清代『首重治河，探河源以窮水患』〔十八〕，但更深層次的考量是『宣揚大一統及增强國家認同』〔十九〕。黄河流域人口基數大、分布廣，而全流域治理理念將不同地區、不同民族的人們凝聚成命運共同體，而『大一統』理念正是這一治理實踐的核心主題。

三、黄河流域拓展了中國的發展空間

早期統治者因巡幸及邊防建設所需，統籌管理沿黄河運與秦直道等沿黄馬道，維持着中央政府對北邊的有效治理。河套平原引黄渠道的建設爲秦漢王朝屯田事業提供了基本的水利保證，并將這些區域變成防禦北部邊患的大後方與根據地。于是，沿黄馬道、沿黄河運與萬里茶道、草原絲路等陸路運輸聯通起來，促進了中華文明與其他文明的交流互鑒，拓展了新的發展空間。

新中國成立之後，沿黄各族兒女在中國共産黨的領導下團結合作、艱苦奮鬥，實現了大河安瀾。黄河流域建立起行之有效的防洪抗汛機制，支撑着沿岸的産業發展，改善了周邊生態環境。當代治黄史證明，正是由于中國共産黨的正確領導以及集中力量辦大事的制度優勢，纔從根本上减輕了河患的威脅。進入新時代，黄河流域在築牢安瀾根基的同時，以蓬勃活力拓展着中國的發展空間。沿黄九省區在協同發展中不斷釋放潜力，讓黄河流域成爲國家區域協調發展戰略中不可或缺的重要一極，爲中國的發展源源不斷地注入新動能。

綜上所述，黄河流域的治理不是單純的河道治理、生態環境治理或社會治理，而是一種關涉水、沙、産、人四者關係的系統性、協同性治理，是推動國家可持續發展的動力，也是厘清國家治理與邊疆治理兩者動態交互實際效果的絶佳視角。而黄河工程等『中國本土理論資源、學術積壘』[二十]，有助于研究國家治理的演進歷程。進入新時代，黄河治理與國家治理的關係研究不斷開闢新視角、持續涌現新成果，其中鑄牢中華民族共同體意識、邊疆治理與黄河流域生態保護和高質量發展成爲非常重要的研究視角。因此，基于這一角度搜集整理黄河國家治理文獻，意義重大。《黄河國家治理文獻集成》，應運而生。

本叢書系統梳理了黄河治理的歷史脉絡與經驗，既爲新時代黄河流域生態保護和高質量發展提供了歷史鏡鑒，更以文獻爲載體，傳承了治理智慧、凝聚了民族力量，是服務國家發展戰略、鑄牢中華民族共同體意識的重要學術實踐。

《黄河國家治理文獻集成》編委會

二〇二五年一月

〔一〕韓建業：《中華文明的起源和形成》，載《中華民族共同體研究》2022年第4期，第80–91+172頁。

〔二〕中共中央馬克思恩格斯列寧斯大林著作編譯局：《馬克思恩格斯選集》第二卷，人民出版社，2014年，第240頁。

〔三〕嚴文明：《黄河流域文明的發祥與發展》，載《華夏考古》1997年第1期，第49–54+113頁。

〔四〕（漢）班固：《漢書》卷二十九『溝洫志第九』，中華書局，1964年，第1692頁。

〔五〕（漢）司馬遷：《史記》卷六『秦始皇本紀第六』，中華書局，1963年，第252頁。

〔六〕冀朝鼎：《中國歷史上的基本經濟區與水利事業的發展》，朱詩鰲譯，中國社會科學出版社，1981年，第7頁。

〔七〕（漢）司馬遷：《史記》卷二十八『封禪書第六』，中華書局，1963年，第1398-1399頁。

〔八〕（漢）司馬遷：《史記》卷三十『平準書第八』，中華書局，1963年，第1441頁。

〔九〕（漢）班固：《漢書》卷二十九『溝洫志第九』，中華書局，1964年，第1686頁。

〔十〕（漢）司馬遷：《史記》卷二十四『樂書第二』，中華書局，1963年，第1178頁。

〔十一〕（漢）司馬遷：《史記》卷三十『平準書第八』，中華書局，1963年，第1420-1421頁。

〔十二〕（清）方家駒修，（清）王文員纂：《汾陽縣志》卷十三『藝文』，清光緒十年刻本，第57-58頁。

〔十三〕王華棠、劉錫彤、吴樹德：《黄河中游調查報告》，華北水利委員會編印，1934年，第1頁。

〔十四〕（漢）司馬遷：《史記》卷十五『六國年表第三』，中華書局，1963年，第758頁。

〔十五〕王利器：《鹽鐵論校注》，中華書局，1992年，第28頁。

〔十六〕綏遠通志館：《綏遠通志稿》第十册，内蒙古人民出版社，2007年，第176頁。

〔十七〕臨縣志編纂委員會：《臨縣志》，海潮出版社，1994年，第273、321頁。

〔十八〕趙爾巽等：《清史稿》卷一二六『河渠一』，中華書局，1977年，第3715頁。

〔十九〕劉惠：《乾隆朝重構黄河河源的實踐與國家認同》，載《清華大學學報》（哲學社會科學版）2018年2期，第147-154+195頁。

〔二十〕許耀桐：《當代中國『治理』概念的演進探析》，載《國家現代化建設研究》2023年3期，第100-111頁。

出版前言

黄河，中華民族的母親河，她不僅孕育了中華文明，更見證了中華民族數千年的發展歷程。習近平總書記深刻指出：『從某種意義上講，中華民族治理黄河的歷史也是一部治國史。』這一重要論述，爲新時代黄河文化的保護傳承以及流域治理提供了根本遵循，也深刻揭示了黄河治理在國家發展和民族復興進程中的核心地位。在學習貫徹習近平新時代中國特色社會主義思想，積極響應國家黄河流域生態保護和高質量發展重大戰略，大力推進北疆文化建設的背景下，《黄河國家治理文獻集成》的編纂出版，具有重要的歷史意義、學術價值與現實指導意義。

黄河治理，自古以來就是國家的頭等大事。從遠古時期大禹治水，到當代運用科學技術進行系統治理，中華民族在數千年的時間裏，積纍了豐富的治河經驗，留下了浩如烟海的文獻遺産。《黄河國家治理文獻集成》收録了元代至民國時期古籍、朱批奏摺、期刊圖片等多模態文獻資源。這些文獻内容豐富、維度多元，既包含記載河工技術、治理方略等的專書，又有漢文朱批奏摺、工程檔案以及不同區域的調查研究報告等。民國時期的文獻則標志着現代水利科學開始融入黄河治理，展現了我國水利事業在時代變革中的創新與發展。近代照片的收録則以更加直觀的方式將黄河治理、黄河沿岸的風貌呈現給讀者。

該文獻的出版，不僅是對瀕危黄河文化遺產的及時搶救與保護，更是對我國水利史、國家治理史、邊疆治理研究學術鏈條的重要補充，具有較高的文獻價值和學術意義。尤爲重要的是，這一集成工作，深度契合鑄牢中華民族共同體意識這一全黨全國各族人民的共同任務。各民族在治理黄河的歷史進程中，緊密協作、共同探索，這些珍貴文獻便是各民族交往交流交融和中華文明認同的生動見證。對這些文獻進行整理出版，能够讓各族人民更加深刻地認識到，在歷史長河中，各民族共同爲黄河治理貢獻了力量，共同守護了家園，從而進一步增强對中華民族共同體的認同感與歸屬感，夯實鑄牢中華民族共同體意識的歷史根基。

《黄河國家治理文獻集成》以『國家治理』爲核心綫索，構建起一個全面、系統、多維的文獻體系：在時間跨度上，聚焦從元代至民國這一傳統治河向現代水利轉型的歷史時期，爲深入研究我國水利事業的發展脉絡提供了清晰的時間坐標；在内容分類上，細緻劃分爲技術專著、工程檔案、區域研究、朱批奏摺、科學報告、圖片等類别，涵蓋黄河治理的各個方面，從不同角度展現了我國在黄河治理上的探索與實踐；在版本選擇上，秉持嚴謹、科學的態度，確保文獻内容的準確性與代表性，爲學術研究奠定堅實基礎。

在編纂過程中，叢書特别注重『全流域治理』的理念，不僅收録了有關下游防洪治河的重要文獻，還涵蓋了中游地區水土保持以及上游地區灌溉開發等方面的珍貴記載。這種對黄河全流域治理的全方位關注，與當前『共同抓好大保護，協同推進大治理』的要求高度契合，充分體現了叢書在傳承歷史文化遺産的同時，緊密服務于當代國家發展戰略的時代價值。

在出版過程中，嚴格保持原書的版式與行款，最大程度地還原文獻原貌。對于部分出現黴變、殘缺的頁面，運用先進的數字化修復技術進行精心處理，在保留原始批注與印章痕迹的基礎上，兼顧了文物的真實性與文獻的可讀性。

此外，爲了更好地服務讀者，方便學術研究，本叢書新增了目録、提要等内容，這些新增部分由編委會精心撰寫。新增目録一般編製二級，個别圖書編製三級；原書有目録而内文無對應標題的，根據原書目録照録；原書目録爲關鍵詞或者其他情况的不編製目録；原書目録與内文不一致的，以原書内文爲準；原書無目録的，按卷端、版心或其他部分輯録；一册書中收録多種圖書的，以書名爲一級標題，編製二或三級。在文字使用上，統一使用現代漢語規範繁體字，對于原版文獻中的异體字、避諱字也使用現代規範繁體字，無對應規範繁體字的保留原字。

《黄河國家治理文獻集成》的出版，是對黄河文化遺産的一次系統性、搶救性保護，具有重大而深遠的現實意義：從學術價值層面來看，叢書成功構建起一座連接傳統與現代治黄文獻的橋梁，爲黄河流域生態保護、水利工程史、國家治理史、邊疆治理、中華民族共同體學等多個領域的學術研究提供了豐富、翔實的基礎文獻，有力推動了相關學科的發展與創新；從文化價值角度而言，生動展現了北疆文化與黄河文化在歷史長河中的交融共生，爲内蒙古『北疆文化』品牌建設提供了堅實的文獻支撑，進一步豐富了中華文化的内涵與外延；從實踐價值方面考量，書中所藴含的治河理念爲我們在新時代背景下實現人與自然和諧共生、推動黄河流域可持續發展提供了寶貴的歷史經驗與智慧啓示。

在此，我們要衷心感謝各藏書機構的大力支持，正是他們提供了珍貴底本資源，纔使得本叢書的編纂出版成爲可能。同時，我們也要向文化遺産智能應用服務中華民族共同體建設『英才與蒙』團隊致以崇高的敬意，他們歷經五年的辛勤耕耘，以嚴謹的治學態度和專業的學術素養，對文獻進行了系統的整理和輯録，爲叢書的内容質量提供了堅實保障。此外，我們還要特别感謝内蒙古自治區黨委宣傳部、内蒙古出版集團將本叢書納入『北疆文庫』重點項目，并在出版過程中給予全方位支持與幫助。

我們衷心期待，這套凝聚着無數心血與智慧的《黄河國家治理文獻集成》，能够在新時代的『黄河大合唱』中奏響歷史的强音，爲黄河流域生態保護和高質量發展注入强大的歷史動力，讓黄河文化在保護中傳承，在傳承中創新，在創新中不斷發展，綻放出更加絢爛的光彩。同時，希望這套叢書能够成爲促進各民族文化交流、鑄牢中華民族共同體意識的重要載體，助力各民族更加緊密地團結在一起，共同爲實現中華民族偉大復興的中國夢而努力奮鬥，讓中華民族共同體意識在黄河文化的滋養下，扎根于每一位中華兒女的心中，成爲推動中華民族不斷前進的强大精神力量。

提要

《黄河地形圖圖志》由吴南凱（1905—1983）編，1942年由商務印書館鉛印發行。吴南凱，字伯涵，浙江紹興人，中國近代著名水利測繪專家。1928年畢業于中央大學土木工程系，後赴德國柏林工業大學深造。1934年回國後長期任職于黄河水利委員會。1949年後任水利部測繪局總工程師，1955年當選中國科學院學部委員。

《黄河地形圖圖志》分四十三章，詳細記録了黄河流域的地理資訊，包括河道變遷、流域地形、河工設施、地方概況、水患情況以及各地的土質、物産和地價等内容，爲研究黄河歷史、地理、水利工程以及區域經濟發展等提供了豐富且系統的資料，對深入瞭解黄河流域的自然與人文狀況具有重要價值。

目録

黄河墬形圖圖志

民國卅一年 張含英題

孔院長序

黃河爲中國患數千年矣，歷代河工列爲要政，勞人力，糜國帑，遑遑惟恐不及，迨民國肇興，對於河工，益求改進，至二十二年，始成立黃河水利委員會，以統籌全河利弊，於修防之外，更求治本之策，而此會能於成立之始，卽從事測繪全河地圖，以立治理之基礎，不可謂非計之得也，蓋無精審之地圖，則探討無所憑藉，凡事且然，矧大河之延袤數千里者哉，慨自東夷肆擾，抗戰軍興，魯豫千里悉告淪陷，一綫長河已與寇共之，河防之重等於國防矣，今下游之修防治理，雖一時無從設施，而中游上游之防洪行水灌溉造林諸要政，尤須悉力以赴，此外川黔西南各省水道之整治，更須各水利機關之共同努力，而黃河水利委員會亦其一也，日者孔委員長以黃河地形詳圖四十三幅及圖志一册見示，展覽一過，覺其淸切詳明，洵足以信今，而傳後，深幸全河測量之成功，而黃河治本大計已於此樹其始基矣，會中從業人員，能於工務倥傯之際，獲此精審之成績，良足佩慰，故樂爲之序。二十九年九月孔祥熙

孔委員長序

治河爲中國之大政，考其載籍，亦汗牛棟充，不可殫述，其中或述修防，或述理論，或紀河身變遷之沿革，或載歷代工事之得失，而欲求一精確之地圖，則渺不可得，此蓋由於往昔測繪技術之未明，不足深責也，但精確之地圖，實爲凡百建設事業之始基，此而不備，終覺缺然，本會自民國二十二年成立以後，故委員長李公儀祉，卽有見及此，開始辦理河測量，聘挪威人安立森主持其事，共組測量隊三大隊，分段施測，其後李公去職，以榕承其乏，仍遵舊規，繼續推進，並增一隊爲四大隊，各隊除測量任務外，更令調查沿河土質物產，堤工夷險，水災沿革，以及人民生計情形，以便於圖成之日，編輯方志之用，計自二十二年十月至二十六年九月，共測成比例一萬分之一地形圖七百零五幅，佔面積約二萬四千平方公里，於是全河形勢，上自孟津，下迄海口，均可按圖而索，瞭如指掌矣，其後爲便於觀察計，更自一萬分之一圖，縮爲五萬分之一，得圖四十三幅，並就調查所得資料，彙以檔案記載，編成黃河地形圖志一册，與四十三幅大圖，一一對照，使讀圖志者，有左右逢源之便，倘亦爲識者所許乎，嗚呼，自寇氛東來，中原蹂躪，鄭汴以東，已遍染腥膻，當玆圖志殺青之日，不得不亟爲刊行，以爲光復河山之息壤，而展圖校勘之際，見此錦繡山河，於今變色，尤不勝其酸辛也是爲序。二十九年八月孔祥榕

張委員長序

黃河地形圖志，稿製告成，本會繪算室主任吳南凱君，請爲之序。瀏覽一過，見其編輯審密，繪製精確，不特可供研究地形者之參考，且足備治理河道者之採擇。惟黃河之患，在於下游，其區域之廣，北達津沽，南奪淮泗，數千里之大平原，隨在均可被黃水漫溢。而受其淹沒之禍。倘僅就現有河道本身測量之結果，以定防災計劃，而於此大平原之地形水勢不施以整個測量，深恐顧此失彼，水患將永無已時。本會成立之初，含英對於全河測量，亦曾參與其議。當時即擬搜集順直水利委員會，華北水利委員會暨其他水利工程機關，在河北、河南、山東、安徽、江蘇等省境測量之成果，參照比較，就其在黃河冲積平原上未經施測之地段盡爲補足，而以現有河道測量爲入手之一部。如是則黃河爲患區域之整個地形水勢，無不瞭若指掌，以此而爲防災之依據，自可事半而功倍。然於其致患之由來，亦不可忽視；蓋黃河上游所經數千里，穿山峽，渡沙漠，挾西北諸水及其所含之泥沙，順流而東，其影響於下游 至爲重大。是必有精確之勘測，方能作根治河患之圖。本會雖曾作初步查勘與簡單測量，並有一部施以航空測量，但僅係局部勘測，而全盤計劃，未克完成。今圖志所載，上自河南孟津，下迄山東海口，其於現有河道下游本身之勘測，詳盡靡遺，殆即全河測量入手之一部。而下游河道，近復大有變遷，其爲患區域，亦尚未完全收復；上游測量，雖亦已着手，但以財力所限，未能充分進展。是則未竟之業，猶有待於努力者也。中華民國三十一年五月張含英。

趙委員長序

黃河流經豫冀魯省境時患潰決災及數省爲禍之烈無與倫比本會成立之初有鑒於此即組織測量隊沿南北兩岸大堤從事測勘以爲中下游全盤治理之準備自二十二年冬起至二十六年夏止全河堤岸測量告竣而七七事變發生各機關疏散職員遷移辦公地址前委員長孔祥榕氏以數年來測勘所得之圖表册籍等至爲繁夥散失堪虞乃於測繪人員內留一部分攜帶測勘所得之資料遷移永川從事整理以一年爲期而工作未竟限期已屆職員紛紛散去此事亦無形停頓孔氏二次蒞會以該項工作仍須繼續復呈准恢復整理黃河圖表室增加工作人員乃於二十九年冬全部整理完成惟圖表繁重印費浩大國內承印者甚少不得已乃將所測各段之紀錄先行編輯而成一部份黃河圖誌一俟抗戰結束國內物資充裕印刷較便時再將圖底付印與圖誌對照即爲完璧此黃河圖誌先行付印之所由來也竊謂吾國最古治河之書首推禹貢其中記載水道流經之區域如土質物產等詳列無遺匪第當時水道變遷之狀況瞭如指掌而土地之肥瘠產物之豐嗇亦皆朗若列眉是不啻合河渠書方物志二者而爲一也本會既有測繪之專圖而又有查勘之記載描繪精細敘述明確俾閱者於河道之情勢及其兩岸之土質物產等一覽無遺固不僅爲治河者所必需也守鈺承乏會務工餘之暇得悉圖誌一部份印刷竣事即待裝訂現存渝處復承行政院水利委員會薛主任委員子良詢悉願將全書配備完全爰以一言弁諸簡端因於其過去工作知之較悉何敢以不文辭用特敘其梗概以誌本書出而問世之不易也

中華民國三十三年秋趙守鈺序於西京黃河水利委員會

例言

一　本會於民國二十二年十月開始測量黄河上自河南孟津下迄山東海口至廿六年九月測畢共測成比例一萬分之一地形圖七百零五幅占面積約二萬四千平方公里其後爲便於觀察計復自一萬分之一圖縮爲五萬分之一得圖四十三幅本編根據上項地形圖所測暨實測時各地調查表記載分爲章節依次編述

一　本編所載黄河河流今昔險工情形以及前後工程設施均與圖幅聯繫易於校閲關於參考書籍有本會前河防組所編輯之冀魯豫三省平險工表及廿六年修防設計圖之修防工程計畫暨其他關係河防書籍刊物

一　馮樓貫台董莊三次堵口工程實與河流堤工有莫大關係且爲工程界開一新紀錄本編依其先後地點酌量擇要敘入藉資考證

一　本編之編輯於廿七年三月開始至八月完成時間倉卒且在疎散鄉僻地點參考書籍頗不完備遺漏錯訛在所不免讀者諒之

例言　二

黃河地形圖圖誌目錄

黃河地形圖圖誌

第一章　河南省孟縣濟源縣溫縣孟津縣鞏縣幅

（圖號一一四—三四—二）

第一節　河流與堤埝險工

黃河橫貫孟縣濟源孟津西南部河內大灘多經孟津縣東北孟縣南以入鞏縣溫縣界昔時河靠北岸山根故於南岸鞏縣境內耕種灘地尚可北行十餘里其後河益南移而灘地崩塌焉今又稍稍北移人民復就灘地耕種此段河勢爲河自三門以下漸入平地之始河流漸漲自此以下亦易發生潰溢之患

孟津與孟縣間河面寬逾十公里堤外北有漭河南有洛河其注入黃河地點均不在本幅圖內此外尚有三乂河（亦稱時令河）發源於濟源山陰至孟縣南陳莊入黃河又有圖河自孟津西南王窰溝出而東北經鐵謝鎮入黃河惟係乾河徒具河形而已

黃河北岸孟縣地勢平垠尚無堤防其西南有曹波村爲豫省北堤起點長約三十七公里至溫縣張村其在孟縣者長十五公里自堤頭至東化工均有石壩埽護岸尚稱完整

南岸孟津雖有舊堤以年久失修已失堤形二十二年大水後乃沿鐵謝鎮北牆東西各修新堤東至大王廟約一公里鎮牆北面亦增補加高（按以上係根據二十三年地形圖調查表記載以下係根據事實編時加入）二十六年本會因該處堤岸日漸坍塌復設計興工建築石護岸挑水壩涵閘各項工程及自鐵謝鎮至白鶴鎮大堤工程旋因工地距戰區甚近已暫停工

第二節　近年水患及被災狀況

本幅圖內縣屬各村水災有高地與灘地之分故受災之輕重不同大抵孟縣濟源及溫縣之一部分因兩岸灘坎極高損失尚微雖有灘地因無村莊僅害及農作物而已至孟津縣之各村如鐵謝鎮下河岡油房街李家村鞏縣之各村如石板溝裴峪白沙朴焦野牛郎則因河灘低下每遇盛漲均被河水淹沒尤以民國二十及二十二年爲甚不獨田舍沖毀且決高新沙一二公尺耕種甚艱惟洛河灘地災情較輕雖被淹沒尚有收穫

第三節　地方概況

各縣屬村民均務農民風儉樸教育亦頗發達惟濟源縣之農村經濟似陷於不振孟津縣則因地瘠民貧兼以水災之後雖屬傍河高地猶被河水日漸侵蝕故民生益形凋敝鞏縣各村亦因水災灘地貧瘠村落稀少人民之生活甚苦惟洛河灘地悉屬良田並可就孝義兵工廠工作生活較豐而村莊人口亦尚稠密

第四節　土質土產及地價

據調查所得各縣農村之土質土產地價各項依次列表如下以供參閱

黃河地形圖(圖號)(一一四—三四—二)各縣農村之土質土產地價調查表

省名	縣名	村名	土質	土產	地價(畝)	備考
河南	孟縣	西揚村、澗西、康留村、白波、渡口、南陳莊、權莊、西莊、	大坎上黃土灘地沙土	麥、豆、穀、高粱、棉花、藥材、水菓、	二十元至一百元	上列村名係擇自圖中村莊之較大者列入其他從略以下仿此
	濟源	坡頭村、南陳莊、逡溺莊、坡頭灘、	同上	同上	同上	

孟津	駕院村、鍛院鎮、高莊、堡子鄉、南學	同上	同上	同上
孟縣	逯村、面窰、東窰、西虢村、路莊、落駕頭、韓莊、戎樓、養井、	高地係黃土灘地係黏土	麥、粟、玉蜀黍、高粱、豆、棉、藥品、	高地二十元至七十元灘地十餘元
孟津	白鶴鎮、牛莊、伯牛莊、賈村、喬疙瘩、周村、于村、楊村、山底、	黃土	麥、穀、豆、棗樹甚多	六十元至七十元井田甚多每畝約值百元
孟津	王窰溝溝口村	黃土	麥、豆、穀、	十元至五十元
孟津	鐵謝鎮、下河圖、油房街、泰和莊、陳家河村、蔣家廟、石家村、樊家村、	多新淤沙土	麥、豆、穀、玉蜀黍、花生、	數元至四五十元
孟津	孟津縣、李家村、背疙瘩、何村、大張山下、古斬家村、東李河、西李河、	黃土	麥、穀、豆、各種果品	二十元至三十元井田每畝百二十元
孟津	花園鎮、瓦窰坡、丁家村、李家台、廠門、小集鎮、徐家村、	近山根處為黃土灘地為新沙淤土	麥、豆、	數元至數十元
孟津	梅溝叩馬鎮	近山根處為黃土近河地為新沙淤土	麥、豆、棉、玉蜀黍、	近山根處四五十元新沙淤土數元至數十元
鞏縣	瓢溝楊溝	新沙淤土	麥、豆、玉蜀黍、	十數元
蒙縣	牛郎溝、于溝、馬峪、塌坡	沙土	豆麥穀	十數元

滎縣	石板溝、裴峪、砦峪、鐺頭、土地廟溝、	黃河灘地新淤沙土洛河灘地爲黃土	麥、穀、玉蜀黍、豆、棉、蔬菜、	黃河灘地數元至十數元洛河灘地百元至二三百元
鞏縣	孝義鎮、白沙村、康店、焦灣、土地廟溝、窰頭、椒樹溝、石灰場、	黃粘土	麥、穀、豆、玉蜀黍、棉、	六七十元至二三百元

第二章　河南省 溫縣 武涉縣 鞏縣 廣武縣 汜水縣 幅

（圖號一一四—三四—三）

第一節　河流與堤埝險工

黃河東過溫縣鞏縣有洛河挾伊瀍澗各水自鞏縣西北來匯禹貢所謂東過洛汭者是也往東北入汜水縣界有汜水來匯又往東北入溫縣武涉縣界折西南入廣武縣界諸水並匯河流遂漸激漲

洛河流入本圖水流漸穩河床爲粘土再上溯至西部益現平穩相傳在百餘年前曾傍嵩山之崖而流今沿邙山之麓此外尚有二小河流入洛河其源出自嵩山之麓可供灌溉之用間或乾涸

此幅圖內黃河南岸多傍邙山逶迤而東至下圖平漢路東苦溝口右岸始有滎澤堤工設官負責防守稱滎澤汛焉其在北岸爲溫縣大堤長約二十二公里原爲民修民守今已改爲河南修防處負責修守（卽溫武汛）其下武涉縣大堤由御郜寨北起至下圖沁河口止長約十五公里亦屬河南修防處工段

趙莊民埝爲河南修防處溫武汛險工二四堡之間大溜由古柏嘴直射而來緊冲趙莊民埝該埝長約六公里民國二十二年大水時將順埝串溝冲開全河北移兩年以來工情未變所有該埝原有石工淤沒殆盡除由前河南河務局呈准設立整理民埝事務所積

極辦理外本會於二十六年修防工程計劃內復有趙莊民埝善後工程計劃以期倍修壵善足禦洪流該處原有石壩二十四道石垛六十三個護沿四千公尺

武涉汎險工全部臨河八堡四場尤爲吃重連同上游溫武汎七堡（西唐郭）險工共長約五公里五堡以下堤工單薄亟應加培此段河流亦係由右柏㟝串溝口門而來該處工程共有石壩三十九道石垛九十一個護沿石七段護石二段

黃河兩岸河灘崩決無常歲有變遷黃河北岸東部因適當頂衝平漢路局沿北岸特築支路運石護岸二十二年洪水浩大氾濫後河坎變遷其護岸壘石則係路局從新運往拋填者

第二節　近年水患及被災狀況

民國二十二年大水溫縣大堤漫決一十八口所有該縣一二三各區灘地均被淹沒水退後淤沙高至三四尺不等同時武涉縣民埝冲決水由紀部寨至西唐郭等處沿鐵路下流勢若建瓴沿灘村莊悉被淹沒其狀至慘二十三年復經迭次盛漲以致氾水鞏縣臨河灘地有已墾植多年成爲沃壤者亦悉被冲積變爲沙地甚或生命財產同歸於盡損失極大鞏縣蒋坑因地勢低下大水灌入悉成澤國鞏縣政府即於是年移治鰲嶺

第三節　地方概況

本幅圖內各縣所屬各村民風儉樸生活簡陋教育頗不發達武涉縣之王溝馮溝等村人民且多穴山而居因迭受水災損失殊感痛苦惟鞏縣洛河兩岸多黃土沃壤民殷物阜頗稱富庶

第四節　土質土產及地價

據調查所得各縣農村之土質土產地價各項依次列表如下以供參閱

黃河地形圖（圖號一一四—三四—三）各縣農村土質土產地價調查表

省名	縣名	村名	土質	土產	地價（畝）	備考
河南	武涉	西唐郭、鄒部寨	多沙質	麥、高粱、蔴、	十元至二十元	上列村名係擇圖中村莊之較大者列入其他從略以下仿此
	廣武	寨子峪、陳溝、劉溝、小寨子峪、管莊峪、犬骨頭峪	新淤沙灘厚一二公尺	麥、高粱、玉米、豆、	數元至十數元	
	武涉	王溝、馮溝	沙土	麥、玉米、高粱、柿子、石榴、棗、	數元至三十元	
	廣武	炒面溝、牛峪口、十樣溝、黃家台、蘇坡、趙疙疸、楊樹溝、馬溝、楊溝、李坡、	沙土	麥、高粱、玉蜀黍、花生、黃豆、黑豆、	二三元至二三十元	
	廣武	小骨頭峪棗樹溝	沙灘土地		十數元	
	廣武	任店、桃花峪、蕭溝、鴻溝、張溝、楡樹溝、王溝、馮溝、	新淤沙灘	麥、高粱、玉米、豆、	二三元至二十元	
	溫縣	大溝欄、小溝欄、四區三號、劉莊、五區四號、六區、二號、關白莊、	沙土	麥、豆、高粱、穀、	十元至八十元	
	溫縣	七里巷、灘陸莊、七號土莊、十二號、振平鄉、五區二號、王莊、鄭家莊、	沙土	麥、豆、穀、玉蜀黍、高粱、藥材、	十元至八十元	

溫縣	吳莊、邊家莊、灘莊、軍地莊、	沙土	麥、玉蜀黍、高粱、	二三元至二十元
汜水	滿溝、羅村、孤柏嘴、灘莊、劉家莊、蔡家莊、任莊、	沙土	同上	同上
汜水	閻坡、十家灣、木樓坡、劉崇、羅村坡、大王村坡、小王村坡、邊村坡、	沙土	麥、高粱、穀、玉蜀黍、花生、豆、	沙地河灘地每畝二三元山坡地二三十元
溫縣鞏縣	無村莊	沙土	麥、豆、	一元至三十元
汜水	藥玉溝、飲馬溝、寥峪、	嫩沙灘土	麥、高粱、玉蜀黍、	二元至十元
汜水	汜水口、沙溝、大寨溝、吳家溝、秋樹溝、樓溝、螞蜂溝、土地廟溝、	汜水口外黃河嫩灘淤積汜水口內黃麥老灘	麥、棉花、高粱、豆類菜蔬	百元至一百五十元
鞏縣	雙槐樹、七里舖、曹溝、水峪溝、呃樹溝、邵溝、興仁溝、北窰灣、南窰灣、	黃河嫩灘沙土洛河兩岸黃土	麥、穀、棉花、玉蜀黍、豆、	黃河灘地十數元洛河兩岸由二百元至四百元
鞏縣	寥峪、英峪、金口、洛口、沙魚溝、四月溝、仁存溝、雙槐樹、	沙土	麥、高粱、玉蜀黍、	十元至二十元
汜水	新溝、極頂、馬窰溝、背溝、瓦陣岡、田家村、斜坡、燒盆窰、曹溝、	山溝可耕之地為黃土、汜水河流域自寨窰而上則卵石增多至石莊、則河床露石屑汜水下游為沃壤	麥、玉蜀黍、穀、	汜水下游地約百元

滎縣	巴溝、白廟、青石澇、近溝、小黄治、鯰嶺、	本圖只鯰嶺左右有洛河灘地黄土肥田此外山中多卯石均非耕地	麥、穀、玉蜀黍、	二百元至三四百元

第三章　河南省 武涉縣 廣武縣 原武縣 陽武縣 鄭縣 中牟縣 幅

（圖號一一四—三四—四）

第一節　河流與堤埝險工

黄河由西北往東南流經平漢鉄橋入武涉縣廣武縣界有苦河水由西來匯其右岸爲豫省南堤起點卽滎澤民埝又東行入鄭縣原武縣界折而南入中牟縣界復往東行入陽武縣界查此段河勢在廣武武涉一段無大變遷惟在原武鄭縣界內歷年北移在此測區內與華北水利委員會所測者相較六七年間平均北移約一公里左右中牟縣河流雖趨近南岸但河槽較狹且甚整齊近二十年亦無劇烈變更又鄭工口門在鄭縣石橋村西北約里許該口門於前清光緒十三年十二月二十日決口至十四年十二月十九日合龍歷時一年有餘現口門遺跡尙存堤上有鄭工合龍碑

鄭縣境內距黄河不遠有南北索須河南索須河位於鄭縣京水鎮南五十公尺北索須河位於京水鎮北約五百公尺均發源於廣武縣沙河流小而清沿岸頗資灌漑之利二十四年經鄭縣縣政府徵用民工開渠灌田藉防雨水積潦之災

滎澤民埝長約五公里高出河內灘地一二公尺不等寬僅四五公尺二十二年八月漲水幾與堤平二十三年春後工程始行加培完整高出洪水位二公尺頂寬一律十五公尺

又滎澤民埝迤西廣武埽工原爲直接守灘間接護岸而設自該埽修成後河走北岸有年以故久未修培殘缺已達極點年來黄河橋基拋石過多大溜在橋下南端行走過橋後仍逼南岸形成大灣本年汛期水漲南岸坍塌甚多漫水亦廣屢經當地居民及廣武縣政府呈請補救祇以無款尚未着手舉辦設非逼溜外移恐南岸滎鄭一帶均將大受影響本會二十六年修防工程計劃曾擬將該埽接長一千零五十公尺俾下游各工得資掩護

滎澤汛堤工逼近大河沿堤存有少許老灘堤爲沙質隨風吹動高低降伏原有土埽現以臨河近水方面護石抵溜頗爲得力二十三年沿河石工埽垜均經加拋高大堤身亦加遂寬二十公尺高出洪水位二公尺惟因受黄河橋拋石影響故大溜南圈時生頂衝之患又該段係常臨大河溜勢提挫不常各埽掃垜段最易墊陷搶護頗難

鄭縣兩汛大堤多係險工今鄭上汛石磚埽垜均已臨河鄭下汛工段河勢外移暂尚平穩惟堤外深潭依然存在（鄭工合龍處）祇憑一綫單堤以爲防護殊嫌簿弱堤內新灘土質疏鬆一遇大溜淘刷立可逼近堤根誠屬可虞

中牟三汛全部均係險工上汛楊橋口以下一段堤身單薄二十二年大水時最爲吃緊中汛二三兩堡工段正迎大溜堤外地勢低窪一有潰决則勢如建瓴堤外圈堤業由官產處賣出刻已殘破不堪該段工程實屬可慮下汛二堡名爲險工處大堤純係沙質十八年九月下旬大溜南圈坍埽不已堤不决者僅二公尺幸賴當時搶護得力未致出險至十九年九月始得修培完整三四年來尚無大險現時距河較遠新灘尚高惟土質疏鬆易於坍塌二十三年加培之後除順河埝一段寬僅十五公尺外其餘均寬二十公尺

第二節　近年水患及被災狀况

二十二年大水武涉縣黄河北岸村莊房屋淹塌殆盡平地淤沙一公尺至二公尺不等田莊羊眼井大茶舖等村房屋亦多遭淹塌平地淤沙一公尺上下不等秋收絕望生計頓難其他如廣武縣之冉莊呂家胡同呂謝屯鄭縣之郎莊焦莊原武縣之老莊張莊小張莊等村亦均受水災頗重損失極大

第三節　地方概況

各縣農村民風儉樸勤於耕作武涉廣武原武鄭縣各村臨河灘地自經大水之後多被冲毀房舍亦遭淹沒人民生計頓感困難惟廣武縣之古榮鎮釣魚台張家莊等村因傍山麓不惟土地肥沃且以地勢頗高雖近黃河絕少水患又鄭縣之邵家橋張莊薛莊等村居民因距鄭縣城甚近謀生較易生活稍裕地方亦尚安謐

第四節　土質土產及地價

據調查所得各縣農村之土質土產地價各項依次列表如下以供參閱

黃河地形圖(圖號一一四—三四—三)各縣農村土質土產地價調查表

省名	縣名	村名	土質	土產	地價(畝)	備考
河南	武涉	黃河北岸田莊	沙土	麥、高粱、花生、	六元至十數元	上列村名係擇圖中村莊之較大者列入其他從略以下仿此
	武涉	羊眂井、郭莊、大茶鋪	沙土	麥、花生、高粱、豆、玉米、	十數元至二十元	
	廣武原武武涉	小劉莊、鹽店村、尤拐村、劉何莊、大劉莊、劉村、武涉機場、潘井、	黃土	麥、玉蜀黍、豆、花生、豌豆、高粱、	十元至二十元	
	原武	老莊、張莊、小張莊、馬井、司莊、司鑑、冉莊、李河沿、前後鑑廠、	堤內淤地 堤外鹼地	麥、高粱、豆、花生、	堤內十元至二十五元堤外五元至十元	

原武	郭莊、李家墳、楊莊、孟紀吳莊、孟莊、史塲、賈疙疸、大薑莊、馬疙疸、	黃土	花生、麥、豆、豌豆、玉蜀黍、高粱、	大堤北十元至十五元大堤南二十元至二十五元
陽武原武	婁辛莊、何莊、後小曹孤堆、劉莊、宋莊、東駱駝灣、呂莊、闞莊、陳莊、冀莊、	黃土	麥、穀、豆、豌豆、花生、	堤北十元堤南二十元至三十元
陽武原武	婁鳳鳴莊、孫岡、李岡、安莊、後張寨、前張寨、奶奶廟、夾灘、毛樓、	黃土	麥、玉蜀黍、花生、	同上
廣武	冉莊、呂家胡同、呂謝屯、王寨溝、于莊、韓墹村、逵莊、孫家莊、程莊、邵莊、	新淤沙地	麥、高粱、玉米、豆、	二三元至十元
鄭縣廣武武涉	胡莊、馬莊、	沙土	麥、豆、豌豆、	三元至五元
鄭縣廣武原武	郎莊、菰菴、吳廠、賈莊、馬莊、(寨內)趙美屋、石渠、賀廠、曹坡、裔坡、小楊屋、後窰、李岡、	老河坎上黃土灘地含沙	麥、豆、高粱、花生、	老河坎黃土五元至十二元灘地一元至八元
原武	西官堤、薛屋、小吳廠、後王屋、前王屋、楊屋、趙美屋、婁廠、孟窰、	純沙	花生爲大宗、豆、高粱、麥、次之	三元至十五元
原武中牟	武莊、黃毛廠、吳疙疸、前仝屋、後仝屋、周屋、劉莊、黃棟集南部、	黃土西北部含沙	麥、豆、高粱、穀、花生、	黃土十五元至二十元沙土五元

中牟陽武原武	張家莊、蘇家莊、劉莊、朱家莊、東郜、前後趙廠、謝廠、發廠、朱家莊、	南岸灘地含沙北岸近河含沙迤北黃土	麥、豆、花生、高粱、	南岸灘地五元至八元北岸近河十元迤北黃土十五元
廣武	古滎鎮（即前滎澤縣城）釣魚台、張家莊、曹村坡、南王村、鄭家莊、長安村、	黃土	麥爲大宗豆、穀、高粱次之	沿山一帶六十餘元山下五十餘元
鄭縣廣武	小堤、小莊、趙弓莊、馬莊、滑莊、常莊、滑莊、青寨、傅莊、單廟南關、小莊、李西河、馮莊、核桃園、	北半爲沙土南半爲黏土	麥、穀、玉蜀黍、花生、白菜、	北半二十元至三十元南半八十元至一百元
鄭縣	邵家橋、楊韓邵、張莊、薛莊、大廟村、李拐、邵莊、辛崔莊、	灘內沙地堤外黃壤雜沙	麥、高粱、豆、菜蔬、	東部六元至八元西部十元至二十元
原武鄭縣	劉窰、東多屋、來童寨、馬渡村、石橋村、沈莊、	南岸大堤內含沙	稻麥	稻田十五元至十九元旱田八元至十元
中牟鄭縣原武	無村	黃壤	麥、高粱、	五元至十元
中牟	閻市口賈寨、關街、安莊、堤上安莊、王家莊毛莊、堤上包莊、六堡村、	南岸純沙北岸河灘含沙	高粱、豆、花生、麥、	南岸三元至五元北岸五元至十元
鄭縣	來童寨、小來童巷、黃岡廟、黃莊、孫岡、唐呂、金莊、冉莊、	沙土	麥、豆、花生、柳條、	三元至九元

鄭縣中牟	黃岡廟、三道壩、姚村、徐莊、周莊、徐莊、西小莊、楊橋寨、營定莊、	河內灘地飛沙	麥、豆、高粱、	三元至五元
中牟	耿氏屯、鉄佛寺、萬勝莊、沙坡池、七里店、油房頭、李顯吾、台肖、斐莊寨、	東部沙邱西部碱土只兩堤之間土質肥沃但亦微含沙土	高粱、豆、小米、	三十元

第四章 河南省 鞏縣 幅

（圖號一一四——三四——六）

洛河自背沿東山之下而流向未改道自造隴海鉄橋以後河道漸向東移本圖只測隴海路上下游各一段黑石關東西兩村夾河相向鞏縣中學在東岸隴海車站在西岸人烟稠密民風樸實灘地為黃土帶沙宜於耕種出產麥穀玉蜀黍每畝地價由六七十元至一百五十元民國二十五年洪水田園淹沒房屋間被坍塌受災頗重

第五章 河南省 武涉縣 幅

（圖號一一四——三五——一五）

第一節 河流與堤埝險工

沁河發源於山西省沁源縣南流至陽城縣與獲澤水合又南與丹水合入本境後自渠下鎮後南王路往東北行至武涉縣城折而東南至方陵村入黃河因受黃河之頂阻河身及兩堤之間淤墊頗高堤內較堤外高約四五公尺

沁河流量不大衆以兩岸險工地點均有埽壩防護故河道無他變遷惟在每年夏秋之交亦有時氾濫爲災據考自民國紀元前百餘年至民國初年共決口三次民七決口一次旋即堵復又武涉縣之西南有漭河流入會與黃河會流自民六洪水後黃河逐漸南移黃漭間遂成一大沙灘惟漭河仍沿黃堤流行以至於今

武涉汛大堤由沁河口至八堡四壩一段異常卑薄且以逼近沁河入黃之口水流湍激一遇壅塞即有漫溢之患且可引溜東趨襲沁奪衛本會二十六年修防工程計劃曾擬幫培此段大堤共長四千零三十二公尺幫寬八公尺加高一公尺做成頂寬十公尺

本圖沁河下游灣處因適當頂衝平漢路局特修支路至該處以爲運石修築護岸工程之用本會亦於二十四年至二十六年之間由九堡十二壩起至沁河西岸灘地修築石護岸長四千五百餘公尺石盤壩八座

第二節　近年水患及被災狀況

本幅圖內縣屬各村尚無重大災情惟溫縣及漭河漫溢之水於二十二年八月經過溫村蔡莊小司馬賭村東北流至五車口所經之處禾稼雖被淹沒但莊村房屋人畜損失尚小同時東安村及解封村等處因地勢較低爲溫縣及上游之水灌注亦遭損失

第三節　地方概況

沁河兩岸有放水閘春間開閘放水兩岸田地頗資灌溉之利故地價甚貴民初曾擬放淤但迄未成功民性強悍風俗樸實大半以務農爲業年來收獲不豐頗陷貧窮該處人工較他處特賤如南王小董等村有每工每日不及國幣一角者鄉村教育極屬幼稚風氣閉塞婦女仍纏脚惟縣城中有中學師範女中等校

第四節　土質土產及地價

據調查所得各縣農村之土質土產地價各項依次列表如下以供參閱

黃河地形圖（圖號一一四—三五—一五）各縣農村之土質土產地價調查表

省名	縣名	村名	土質	土產	地價（畝）	備攷
河南	武涉	楊高村、小高村、樊莊、塚頭、西尚村、北尚村、尚村、柴尚村、小高、北樊、劉莊、後劉莊、		花生、餅生地、小麥、	四十元至一百二十元	上列村名係擇圖中村莊之較大者列入其他從略以下倣此
	武涉	武涉縣城、木欒店、卜惠莊、韓原村、岳原村、楊莊、大原村、	沙土及黏土間半	小麥、落花生、玉蜀黍、	四五十元	
	武涉	北王、南王、小董、樓下、渠下、耿莊、朱村、白水、東陶、西陶、王順、	泥沙	麥、牛蒡、地黃、山藥、	三十元至八十元	北王南門外之地價竟有值三四百元一畝該地均種藥材
	武涉	西虹橋、南虹橋、東虹橋、大虹橋、大高山莊、小高山莊、岳莊、張高村、郭高村、楊高村、、	近沁河之地皆黃土遠者則多含沙地	花生、棉花、生地、菊花、	近沁河地一百二三十元司徒村以南僅二十元	
	武涉	蔣崗、方陵、趙馬蓬、前陽城、後陽城、郭下村、黃鼠村、童關、南賈、	黃沙土	麥、高粱、穀、	二三十元	

武涉	小司馬、北郭村、裴莊、疊太莊、余會村、蔡莊、益莊、南古岡、楊召、	堤南多沙堤北多鹼	麥、高粱、	堤南由黃河北岸至堤根十元至二十元堤北二十元至四十元
武涉	方陵村、東曹亭、西曹亭、澗溝村、李後莊、任後莊、解封、小岡村、	由河邊至堤根沙土由堤根至堤外平地全為鹼土	麥、穀、高粱、豆、硝鹽、鹼、蓆、	由河邊至堤根一元至二十元由堤根至堤外平地十元至三十元

第六章　河南省 陽武縣 原武縣 廣武縣 武涉縣 幅

（圖號一一四—三五—一六）

第一節　地方概況

本幅圖內各縣所屬農村均屬地瘠民貧人民樸陋文化低落如原武縣宋樓村津花樓等村居民大半目不識丁又廣武武涉交界地界有鐵店村者民風獷悍行旅多側目故盜匪時有地方不靖

陽武縣因地勢低窪有天然渠新央渠文然渠三渠以洩大雨後之積潦天然渠位於大堤之北其修築日期不詳新央渠在堂后村之南文然渠亦名越公渠位於縣城之西新央文然兩渠為民國十五年春該縣縣長李志遠與鄉紳等籌費修築民利賴之惜於該縣長去後其渠竟廢

第二節　近年水患及被災狀況

二十二年八月十日黃河從平漢路鐵橋西漫溢武涉縣之詹店被淹水浸全村溜向北行爲堤所阻順堤東至許莊但該堤久已殘破溜仍越堤北行被淹地帶約寬三五里當詹店危急之時人民穴路基數處洩水因此鐵路東南各村亦遭波及禾稼莫不淹沒

第三節　土質土產及地價

據調查所得各縣農村之土質土產地價各項依次列表如下以供參閱

黃河地形圖（圖號一一四—三五—一六）各縣農村之土質土產地價調查表

省名	縣名	村名	土質	土產	地價（畝）	備考
河南	武涉	詹堤、詹堤車站、廟工、劉村、小張莊、申村、官廟、雷莊、倒座舖、	黃沙土	高粱、穀、玉黍、麥、花生、紅薯、	二十元至三十元	上列村名係擇圖中村莊之較大者列入其他從略以下倣此
	廣武 武涉	何營、小河營、馬營、小馬營、宋莊、陳莊、姚村、王祿鎮、夾堤村、胡莊、	西部黃土東部純沙灘地微含沙	麥、豆、花生、高粱、	西部二十元至三十元東部二元至五元灘地二十五元	
	原武 廣武	宋樓村、津花樓、張村、李莊、趙莊、祝樓村、	沙土	麥、豆、穀、高粱、	十餘元	
	原武	吳莊、杜莊、小王莊、小劉莊、靳莊、西寨裏、東寨裏、齊王莊、	西部北部均係沙土尤以北部爲甚東南部則係鹹性土不宜於種植	產少量麥、豆、花生、高粱、	五六元至十元	
	陽武	大徐莊、尹疙疸、葛埠口、袁莊、魏店、毛莊、李莊、婁岱莊、	東南部黃沙土		十餘元	

原武	河莊、王岳莊、小徐莊、小孫莊、趙家莊、後營、周莊、楊莊寨、	西北部黃壤土宜於種植，	豆、穀、高粱、麥、	十餘元
陽武	袁莊、李學彥莊、大張寨、雙官堂、魯胡同、小劉莊、	黃壤土	麥、豆、花生	十元至二十元

第七章

河南省 考城縣 蘭封縣 民權縣
山東省 曹縣 菏澤縣
河北省 長垣縣 東明縣 幅

（圖號一一六——三四——三）

第一節　地方概況

本幅圖內無河流有之亦係乾河如曹縣境內古白沙河及河南省考城縣迤南之黃河故道考豫河志「黃河東經開封府城北封邱縣南又東經陳留及蘭陽縣北北岸直隸長垣縣境又東經儀封廳北北岸接東明縣界又東南經睢洲北北岸爲考城」此爲銅瓦廂未决口清咸豐五年以前河流所經之處儀封即今蘭封亦即銅瓦廂决口處今考城縣舊縣縣治猶在亦即當日在北岸之縣治此外舊日南北兩岸大堤以及遙堤小埝仍有起訖地點惟大半殘破有時稍資防禦漫溢之水而已

山東曹縣各村莊居民多以務農爲業教育除馬莊小馬莊孫莊等村較能普及外其他概屬幼稚農田自耕自作間有佃農貧富尚無特別懸殊惟屬於曹縣菏澤之一部分村莊因地內出產不豐不能維持生活如于樓陳莊等村多有取硝鹽爲業者又趙集馬集鄉民以編筐爲業其生活多較農民爲窮苦曹縣境內以蔡莊小張莊馬莊徐圈堤等村較爲富庶故其地價頗高少有以土地出賣者

河南省考城縣蘭封縣民權縣所屬各村莊居民仍以務農爲業惟佃農甚多貧富懸殊間因生活困難如考城之李園羅寨等村率皆

畜羊以羊毛爲營地小量出產又黃道湖小潭莊等村以地內出產甚少多以晒鹽爲主要工作大抵上述三縣除考城縣之東西壩頭許莊陸莊煖房莊後房莊蔡莊張營等村土地較爲肥沃居民頗稱富庶外其餘多係沙地故人民生活困難文化低落雖農村凋敝亦不減其凋敝現象焉

第二節　近來水患及被災狀況

二十二年大水河南省考城縣之孔莊刁樓黃道湖小潭莊山東省曹縣之蔡莊小張莊等村均被淹沒損失甚大土地淤高約三公寸又該縣之徐堤圈王翠人莊等村秋禾被淹沒約百分之三十趙樓王仙莊約百分之五十董莊宋莊孫廟卞莊等村約百分之四十按本圖內農村被災情形大抵爲漫溢及雨水過大所致但漫溢受災地方存時因土地被淤轉能耕種如菏澤縣之王爐瀦趙曹縣之郭莊王樓等村土地於二十二年洪水時期淤高二三公分范莊榮莊等村水由該村漫過東流地層淤高一二公寸又考城蘭封黃河故道亦於二十二年經黃流漫過以有舊堤未受水災但所有沙地如考城縣之前韓土坡後韓土坡等村蘭封之朱莊楊家莊等村已淤高三四公寸或五六公寸昔日不能耕種瘠地今已變爲良田惟曹縣之李莊張胡同等村有溜道一條每年大雨積水爲患而考城民權因北部較低雨水宿大概易爲災近於舊堤旁開洩水溝雨潦有所宣洩水患全免矣

第三節　土質土產及地價

據調查所得各縣農村之土質土產地價各項依次列表如下以供參閱

黃河地形圖（圖號一一六——三四——三）各縣農村之土質土產地價調查表

省名	縣名	村名	土質	土產	地價（畝）	備考

河南河北	考城長垣	翠莊、白莊、譚莊、管寨	鹹性	麥為大宗、餘為高粱、豆、穀、	十元至四十元	上列村名係擇圖中村莊較大者列入其他從略以下倣此
河北山東	東明曹縣	車寨、馮寨、胡家場、韓莊	大部含鹽質	麥、穀、豆、高粱、	同上	上列各村多以晒鹽為業
山東	曹縣菏澤	小營、三李寨、谷寨、劉寨	同上	同上	十餘元至二三十元	同上
山東	曹縣菏澤	李樓、三邱店、白玉堂、長樂集	同上	以麥、為大宗、高粱、豆、穀、次之	十五元	同上
	曹縣	胡莊、戴莊、馮樓、後橋、中橋、前橋、趙樓、吳叉口、劉曹、	宜於耕種	麥、高粱、穀、花生、	十元至三十元	
	曹縣	李樓、三合村、李牲莊、蔡堂、東樓、潘莊、劉樓、趙莊、車莊、青岡集、	淤沙土	豆、麥、穀、高粱、花生、	三十元	
河南	考城	刁樓、左寨、朱良莊、朱莊小付堂、徐堂、唐寨、霸城寺、孔莊		麥、高粱、穀、玉蜀黍、花生、	五元至十五元	
	考城	李園、羅寨，林寨、趙店、馬寨、張莊、孔莊、袁寨、五里河、	沙地	麥、高粱、	十六元	
	考城	黃道湖、水牛叫、小譚莊、前店、後店、姚莊、王茂店、	沙地	小鹽、麥、	五元	
	考城	大王莊、肖莊、雙樓、五里河、大譚莊、張官、涿寨	沙土地	麥、高粱	二十五元	

省	縣	村莊	土質	農產	地價
	考城	劉橋、孫橋、肖橋、王橋、南彰集、徐窪、桑園、董莊、東郭莊、	沙土地	麥、高粱、	三十元
山東	曹縣	趙樓、王仙莊、趙莊、荒莊、袁莊、謝莊、汪莊、任莊、	沙土地	高粱、豆、	十八元
	曹縣	馬樓、康口呂樓、康莊、王鳳、郭莊、郭集召莊、劉莊集	沙土地	麥、高粱、穀、	二十二元至二十五元
	曹縣	董莊、宋莊、謝莊、郭莊、王安莊、張樓、田戴莊、趙莊、	沙土地	豆、高粱、花生、	十五元
	曹縣	孫廟、卞莊、婁莊、殺豬李莊、小姚莊、姚堂、老君王莊、耿集、司莊、	沙土地	高粱、豆、花生、	十二元
	菏澤	陳莊	沙土地	高粱、豆、花生、	十二元
	菏澤 曹縣	王爐潛趙、郭莊、王樓、李莊、吳莊、楊莊、磚廟集、崔屯、	黃泥沙地層	豆、麥、高粱、穀、玉米、	十元至四十餘元
	曹縣	郭莊、許莊、邱堂、王岡、丁莊、趙莊、張樓、吳堂、孫河、郭花園、范莊、	淤鹹土	豆、麥、穀、硝鹽	三十元
河南	考城	小宋、安樂村、程寨、邵岡、孫莊、孔莊、寨方店、郭店、郭莊、	沙土	麥、豆、高粱、玉蜀黍、花生、甘藷、	二十元至二十元
	考城	邵岡、王莊、三合義、王園、袁岡、蔡岡、王岡、陳園子	沙土	麥、豆、穀、高粱、玉蜀黍、花生、	五元至二十五元

山東河南	曹縣考城	前王莊、蔣莊、後趙溝、謝集、牛蘭中、裴寨、王莊、劉莊、韓莊、黨堂	沙土	麥、豆、穀、高粱、玉蜀黍、鹽、	十元至四十元
山東	曹縣	馬莊、小馬莊、孫莊、王莊、黃水口、韓莊、謝集、呂寨、劉賀、	沙土	麥、豆、高粱、玉蜀黍、棉花、花生、	四十元至七十元
	曹縣	閻樓、任堂、張莊、李樓、申莊、張莊、牛莊、崔莊、范莊、榮莊、	黃泥沙地	豆、麥、紅薯、穀、玉子、	十元至三十元
	曹縣	謝莊、陳莊、大紀樓、劉樓、劉莊、許莊、張建莊、高集、	淤土	豆、麥、穀、	四十元
山東	曹縣	于樓、陳莊、郭莊、高莊、甄莊、步樓、黨堂、甲莊寨、李大五莊、	半淤半碱	豆、麥、穀、硝鹽、	四十元
	曹縣	李莊、小甄莊、鈕莊、李廟、邱樓、王堂、孫莊、李樓、郭莊王寨、	半淤半碱	豆、麥、穀、硝鹽、	四十元
河南	考城	王莊、袁莊、楊莊、何莊、高莊、孟母樓、徐寨、	沙質	麥、高粱、豆、	二十元
	考城	龍王廟、楚莊、楊寨、喬莊、袁寨、小西莊、劉寨、	沙質	麥、高粱、花生、	十八元
	考城	劉土山、謝山、呂莊、胡莊、雷莊、王土山、孫莊、張莊集、	微含沙性淤土	麥、高粱、豆、	三十元
	考城	王朝鑾、田莊、馬莊、胡樓、趙集、	半沙半淤	麥、高粱、	二十五元

	考城	大胡莊、翟莊、劉莊、小李莊、	沙土地	麥、高粱、豆、	十五元
	考城	東埽憤、西埽憤、	淤土地	麥、豆、高粱、棉花、棉子油、	四十元
	考城	許莊、陸莊、許馮莊、設保府莊、老謝、趙天一莊、	最上淤土	高粱、麥、豆、棉花、棉子及棉油、	五十元
	考城	趙莊、馮莊、小趙寨、謝莊、呂莊、東趙莊、	半沙半淤	高粱、花生、豆、	十五元
	考城	趙寨、小趙莊、大李莊、雙井、李園子、牛園子、王園子	併含沙土之淤地	麥、高粱、豆、	二十元
	考莊	呂園子、王莊、魯城、趙樓、	淤土	麥、高粱、棉子、棉子油、	三十元
	考城	煖房莊、後王莊、宮莊、馮莊、前王莊、	淤土	同上	三十五元
	考城	蔡莊、董營、李莊、韓莊、李館集、	淤土含鹹	高粱鹽	十五元
	考城	湯水口、張營、劉店、任莊、李莊、趙莊、戴莊、	淤土	棉、高粱、麥、	四十八元
山東	曹縣	回莊、馬莊、謝莊、樓莊、	淤土	麥、高粱、棉子、	三十五元
	曹縣	湯溝、趙樓、單樓、	淤土	麥、高粱、	三十元
	曹縣	前郭樓、後郭樓、朱雀楊樓、王石寨、	宿含城性	麥、高粱、	二十五元
	曹縣	趙輪車	含鹹	高粱、鹽、杞柳、	十五元

	曹縣	張寨園、董莊、林胡同、張胡同、馬樓、鄭莊、李莊、	淤土	麥、穀、豆、高粱、	五十元
	曹縣	、胡集、吳堂寨、孫集、崔楊塲、	碱土	麥	十元
	曹縣	趙集、馬集、小程莊、張莊、二郎廟、鄭樓、崔莊、蔣堂、焦樓、	沙地	白臘條陰柳	一元
	曹縣	鄭集、宋樓、陳堂程莊、楊土山、	碱地	穀、麥、	十元
	曹縣	蕭樓、蔡集、牛角嘴、	碱地	硝小鹽、	一元
	曹縣	崔樓、老王集、姬莊、楊莊、李莊、張胡同、倪樓、張莊、吳莊、	淤土	豆、麥、穀、高粱、	五十元
	曹縣	曹道口、岳莊、劉河、石莊、付胡同、	沙土	花生、豆、麥、	二十元
河南	蘭封考城	孕莊、楊家莊、前李莊、耿寨、牛寨、後李寨、前韓上坡、後韓上坡、	沙土	麥、豆、高粱、花生、紅薯、	二元至十元
	考城	菱角王寨、袁莊、油房店、豐店莊、賈馬口、	沙質	花生、豆、	十二元
	考城	牛寨、牛馬口、翟莊、東莊、張滿莊、王莊、	沙土	高粱、花生、豆、	十元
	蘭封	土山、東官路、李三揚、趙岡、	沙土	同上	同上
	蘭封	後羅莊、前羅莊、小官路、三里莊、	沙土稍含淤土	豆、麥、高粱、	十五元
	蘭封	萬土山、沈奕集、馬溝垣、潘河寨、	半沙半淤	麥、高粱、花生、豆、	二十元

	考城	崔揚墻、鹿何村、安新莊、史先莊、司莊、新莊、史樓、史莊、	淤		土	豆、麥、高粱、穀、菜類、	十五元
河南山東	考城曹縣	劉銅集、魏樓、紀莊、常莊、王樓、伏樓、趙莊、崔莊、	沙	碱	土	柳條、小鹽、	一元
山東	曹縣	戴樓、高堤圈、	淤		土	高粱、麥、穀、豆、	三十元
	曹縣	蕭莊、邊莊、高堤圈、馮莊、、車牌坊、高莊、袁莊、、石佛寺、	沙		碱	麥　棉	十元
	曹縣	謝窰、劉莊、呂莊、陳莊、郭莊、孔井、苗莊、曹河、蘇道口、段莊、	淤		土	穀、麥、高粱、豆、	三十元
	曹縣	孔道口、柿子園、孔家樓、賀莊、王莊、梁莊、小蘇莊、	同		上	同　上	四十元
	曹縣	萬莊、黃莊、陳莊、沈堂、崗灣、	碱		土	小　鹽	五元
河南	蘭封民權	大劉岡、土山代寨、三營、寧莊、高集朱寨、小馬莊、杜莊、金剛村、	沙		土	麥、豆、高粱、穀、玉蜀黍、花生、紅薯、	十五元至五十元
	考城	朱莊、魯寺、程子、賈莊、王高莊、楊莊、園裏周莊	沙		土	麥、高粱、	四十元
山東	曹縣	蔡莊、小張莊、吳新莊、張莊、大羊口、小羊口、馬莊、張莊、大寨集、	淤		地	麥、高粱、	四十元至一百元

	曹縣	馬莊、張莊、大寨集、前項集、前王集、	淤	地	全	上	六十元
	曹縣	徐堤圈、王擧人莊、耿寺、戶高莊，王滿莊、戶莊、前馬樓、	淤	地	全	上	二十五元
河南	民權蘭封	劉莊、張莊、朱莊、中杜莊、西杜莊、李臺、小李莊、趙莊、蘇集、孫莊、潘樓、	沙	土	麥、高粱、豆、穀、玉蜀黍		四十元至五十元
	民權考城	胡道口、許莊、殺土山、堤脚、三里杜莊、舊考城、朱家堤、劉莊、崔莊、小堤子、蔡莊、	沙	土	全	上	三十元至四十元
	考城	大王莊、大張井、張善莊、呂閣子、蔗桑樹、李樓、張樓、韓莊、	淤	土	豆、麥、高粱、		十三元至十八元
河南山東	考城曹縣	安堂、楊莊、邊莊、陳莊、吳朱莊、曹莊、	淤	土	穀、麥、豆、高粱、		三十元
山東	曹縣	謝道口、沈店王莊、戶沈莊、李莊、魏莊、兵馬莊、張莊、馬樓、	破	土	小鹽最多不宜種植		二元
	曹縣	李廟集、胡樓、萬樓、鄭莊、小朱莊、陳莊、孔油房、	淤	土	穀、麥、豆、高粱、		四十元
	曹縣菏澤	李莊、劉樓、馬莊、大王樓、馬樓、王莊、小鄭莊、張店劉樓、李樓、高范莊、劉新莊、	淤	土	穀、麥、豆、高粱、		三十元

第八章 河南省開封縣 蘭封縣 考城縣 陳留縣 民權縣 河北省長垣縣 幅

（圖號一一六—三四—二）

第一節 河流與堤埝險工

本幅圖內河南省蘭封縣之栗場高城考城縣之青凌崗大傳場馬莊新孔莊一段爲黃河故道係前清乾隆年間一度北移之處又蘭封縣之大毛古寨小毛古寨以及劉崗蔡崗一段爲前清咸豐五年銅瓦廂決口河流北移後所遺之故道至今南北堤埝以及舊日河身猶歷歷可攷現時河流由西往東經開封縣傅寨陳留縣貫台折而南入蘭封縣經夾河灘丁疙瘩偏西北復轉東北入下圖

此段河流自改道至今尚無重大變化惟貫台至東壩頭一段河床逐年淤高洪水時期最易出險二十三年貫台決口幾奪全溜歷秋徂夏始克堵合事後並接築自貫台至雙玉大堤一道用以攔束黃河漫溢之水兼防串溝側注之患但該地南臨大流大汛時期被水冲刷塌陷甚速以是臨河各村莊每三四年必北遷一次以避其患焉

蘭封新堤險工每值大水時河流東西堤形南北適當大溜頂衝而土質多沙地勢低窪護石薄弱尤屬可慮此段堤工自銅瓦廂決口後大河北流即成背工而大水時仍然漫灘故築南北堤一段二十二年盛漲竟將此堤冲刷決開長三百餘公尺洪流所至巳遠蘇皖嗣因冀省河決三十餘處奪溜北趨未致改道旋卽掛淤斷流是年冬卽行堵築二十四年由本會新做護石一段二十五年漲水大溜仍逼近堤根隴刷甚重似尚應加拋俾期鞏固

東壩頭險工係銅瓦廂決口後淤出之灘因受貫工影響近年河勢逐漸南移大溜坐灣灘唇歷見坍塌二十四年尤重故新築石垜四個石壩二道護石五段但大水時溜仍直射頂衝匯刷不已

上述險工均因自銅瓦廂改道後河勢不順河槽逐年淤高故南北兩岸隨處皆受頂衝之患本會曾於二十六年修防工程計畫中列有整理銅瓦廂故道及修築三義寨至小新堤新堤楊莊至吳莊新大堤各項工程冀以整理河槽免除險工兼可使堤防鞏固足資防範

再此段黃河不僅河勢不順南北兩岸復有縱橫串溝多道貫台決口即因串溝勾溜逐漸擴大又值該處向無堤防故結果釀成巨患幾成不可收拾之局其經過詳情以及堵築工程當另節述之

第二節 貫工紀要

一、貫台決口之經過 貫台決口係由黃河北岸串溝釀成已如上節所述該處向無大堤保障於二十三年八月水漲漫溢遂成決口口門寬至七百八十一公尺是時大河流量每秒爲一四・〇〇〇至一五・〇〇〇立方公尺口門分瀉幾成奪溜故氾濫所及受災至爲深重此斷流工程擬待水落舉辦乃於是年九月經 行政院議決電令冀省政府嚴令河務局負責堵築一面責成黃河水利委員會督同堵合黃河水災救濟委員會工賑組監視進行遂於九月間興工其方法以楷料捆廂從東西兩端進占做埽推進之當時次第進占口門祇餘六十公尺水深不過八九公尺若能及時猛進堵合非難惟臨時缺少料物又泥於成法不能隨機應變以致過有三次水位低落之良機均皆放棄由是流速日急流量愈大遂使廂埽腳根終不能抵抗強溜之衝刷每每廂埽隨與俱去上蟄下墊循環不已情同中流擲草欲見其草停水中本爲至難之事故料物應接不暇而耗款已至四十餘萬之鉅堵口之效終於無成迨黃河水災救濟委員會工賑組接辦之時口門雖餘三十一公尺但口門深度已冲刷達三十公尺是時流勢奔騰洶湧兩埽各厚二十二公尺浮動搖擺猶在繼續傾陷不已中外水利專家到工視察均認爲不能堵合甚有主張改道者工情險惡已達極點實感棘手

二、貫台堵口施工計畫 自冀河務局貫台堵口失敗後中央急籌補救方法二十四年三月四日工賑組奉令邀集黃河水利委員會及冀魯豫三省建設廳廳長河務局局長在貫台堵口工次開會研商補救工程辦法即於三月五日開第一次會議結果贊成

工賑組孔主任祥榕所主張於貫台及口門之間建築挑水壩引水直趨舊河減少口門流量並在口門附近設計落淤兩辦法討論時歸納分爲四項(一)挑溜工作(二)落淤工作(三)堵合工作(四)堵合後前後防護工作嗣後迭經會議黃河水災救濟委員會委員長孔公復派傅委員汝霖會同工賑組孔主任在開封黃河水利委員會招集各方重要人員籌商貫台堵口補救辦法仍照前兩會議決貫台堵口改由黃河水災救濟委員會工賑組專責擔任主辦進行該組奉令後即照其上述四項主張釐定工程計畫依次舉辦卒於二十四年五月二十一日得告合龍所需工料費用僅達四十萬元左右計自四月十一日接辦之日起至五月二十一日止爲時不及一月成功之速用款之省殆爲歷來所僅見茲將該組堵口施工計畫簡述如次以供關心河防者之參攷焉

(1)挑溜工程採用透水柳壩以柳股木樁及鉛絲縱橫塡築成之

(2)落淤工程採用沉放柳把及散柳落淤

(3)堵口工程採用兩端進占以稭料蔴繩木樁捆廂逐層壓土進展中部截流壩採用逐層拋築法以柳把包石塊成爲枕形名爲柳石枕用逐層拋沉至於高出水面爲度此法可免河底刷深且有落淤之功

(4)閉氣工程在大壩後拋沉蔴袋土包及蒲包等於土櫃內再從大堤兩端修築月堤使內外水平一致

(5)防護鞏固工程沿壩築坦坡以蔴袋包土青磚塡底石料拋砌沿堤作護沿以木樁柳把爲沿內塡稭柳上壓大土

按上述堵口壩及附近堤埝高度根据二十二年最高洪水位爲七十三公尺四公寸(高出大沽零點)平均以七十四公尺爲度

三、貫台堵口工程實施次序　堵口計畫既經確定依其工程性質之緩急時間之支配員工之調遣以及材料運輸各項均須統籌兼顧次第興工茲分述如次

(1)挑溜工程　透水柳壩二道在口門上游附近

第一道透水壩長一百一十公尺

第二道透水埽長二百一十公尺

兩埽共長三百二十公尺平均寬七公尺高一公尺

(2)落淤工程　落淤工程拋沉大柳把及散柳包圍於口門外掛柳落淤

(3)捆廂進占工程　東西埽共合平均長一百公尺寬二十公尺深十公尺均照舊法捆廂進占至相當距離堵口合龍

(4)截流埽工程　堵合口門長廿二公尺寬十三公尺深三十公尺水深流急堵合困難仍照預定計畫用柳石枕逐層拋築晝夜搶進計共用柳石枕一千三百六十個即見高出水面繼用蔴包塊石復逐層填壓由此大流斷絕兩埽始告合龍

(5)合龍後截流埽臨河窯固工程　下層基礎平均長一百公尺寬四十公尺深十公尺先用蒲包蔴包墊底柳石枕護脚然後修築臨河上層石坦坡計長六百公尺高六公尺寬十公尺一比三坡

(6)培高加厚大埽全埽工程　平均長六百公尺高二公尺寬六公尺

(7)月堤養水閉氣工程　堤長六百四十一公尺頂寬六公尺異高七三·七〇公尺一比三坡

(8)培修大埽東西端土埝長二·九四八公尺頂寬五公尺內外坦坡一比二異高七四·五〇公尺(平均約一公尺)

(9)東埝二公里處加築土埝與華洋堤啣接以防河水倒灌計長三·一四六公尺頂寬五公尺內外坦坡一比二異高七三·三〇(平均高度約一公尺五公寸)

(10)土埝護沿長六·〇〇〇公尺平均高一公尺五公寸寬二公尺

四、賈工主要料物之籌備　堵口工程計畫既經確定其購運材料辦法亦經斟酌工情及時間規定六項並依此分別趕辦

(1)石料購自隴海路大湖山及平漢路和尚橋等處

(2)稭柳兩項購自鄭縣開封陳留封邱蘭封等處由各縣代辦工賬給價

(3)蔴袋鉛絲蔴袋蔴購自上海漢口

（4）木樁就近採購

（5）料物之運輸呈准中央電令平漢津浦隴海京滬四路專開列車隨時轉送以期便利

（6）其他陸運水運則請冀魯隣縣便宜助理代僱大車船隻

第三節　近年水患及被災狀況

圖内各縣村莊經二十二三年大水多被淹沒災情奇重蘭封縣店集漫溢致將蘭封開封之老畢寨新畢寨劉崗李堂大莊等村同時被水淹沒華洋義振會所築之南北小堤亦先後被水冲決大水西去直奔黄陵集大車集以趨滑縣境内之茹張莊而在該堤附近之老鸛灣朱崗適當其衝以致田園廬舍不爲冲塌卽被淤沒間有層樓危立不用梯上淤沙之厚可以概見自貫台決口後大溜所經地方固已受災無算其沿大堤西溢之水至開封縣之前後杏頭村及郝寨東因地勢較高及爲臨時民埝所阻而止但自該村迤東則均遭淹沒爲時甚久以致房屋倒塌土地不能耕種又蘭封縣之李長莊毛莊馬路王殿弓莊以及迤東之高莊潘寨等村同時仍受黄水漫溢之患歷歲大汎時期該村等近河灘地禾稼被水淹沒爲時尚短收穫仍屬有望此次大水則不但禾稼損失所有村莊亦完全冲去人畜淹斃無算如岳寨姚莊等村大水後淤沙竟有八公尺之厚又考城縣之任莊岳莊等村因四明堂新堤決口洪流由任莊北漫流而過縣城一帶盡成澤國至今屋宇猶存頹圮之狀又開封縣之郭樓莊小河頭等村以地近河灘夜半水漲居民不及爲備淹斃甚多而房屋田地之損失更無論矣以上各處被災情形均甚嚴重至其他臨河灘地如開封縣之王樓姚吳莊陳留縣之東西梅寨等村廉不同時遭受波及惟位於黄河故道之村莊如蘭封之二里寨春廠大小毛古寨王莊焦莊雖亦被黄河漫溢之水浸入但係在舊河身内居民似無損失且淤積黄土約三公寸餘反於農田大有裨益焉

第四節　地方概況

各縣村莊人民大部均感生活困難甚故均因土質不良不宜耕種或以災情嚴重平時豐收已難供八口之食矧屬荒歉其苦可知二十二三年水災已如第三節所述當地居民蕩產晰居流離失所情狀至慘如開封縣之劉崗李堂大壯蘭封之店集前王馬蹄清德陳留之朱崗長垣之岳樓黃集考城之岳莊任莊等村均因水患農村悉告破產因生活窘迫民性剽悍多有流爲盜匪者惟蘭封縣之閻頭寨張良寨民權縣之王莊張寨等村因未受水災收穫尙佳人民亦頗安居樂業附近各村有縣立鄉村小學數所閻頭寨並有高等小學一所

第五節　土質土產及地價

據調查所得各縣農村之土質土產地價各項依次列表如下以供參閱

黃河地形圖（圖號一一六—三四—二）各縣農村之土質土產地價調查表

省名	縣名	村名	土質	土產	地價	備攷
河南	開封 蘭封	劉崗、李堂、周崗、陳崗、趙崗、戶崗、店集、老巢寨、新巢寨、前王、	黃沙土	豆、麥、花生、高粱、	二三元至五六元	上列村名係擇圖中村莊之較大者列入其他從略以下倣此
	蘭封	馬蹄、王殿、弓莊、前陳莊、後陳莊、耿新莊、清德、王里集、	地多沙土	黃豆、高粱、麥、花生、	一元至五元	
河南 河北	蘭封 長垣	高莊、藩寨、戴莊、岳寨、姚莊、韓莊、樊集、	飛沙土	高粱、花生、豆、麥、	一元至十四元	
	考城 長垣	任莊、岳莊、東馬目、西馬目、考城縣城、及東關、西關、老寨、南北堤、岳樓、黃集、張營、	北部沙 南部含碱	麥、豆、高粱、花生、小米	北部一元至十元 南部二元至十五元	

河南	開封	白寨、趙寨、丁杏頭、孫杏頭、前杏頭、後杏頭、大爵寨、	沙土東部含碱性不宜禾稼	麥、高粱、穀、花生、	沙土地十元至三十元純沙地二元至十元
	開封	清河集、邵寨、邵寨堤、李頭、一家王、張莊、堤窩、朱寨、	堤內老灘沙土堤外則多新園飛沙	麥、花生、高粱、穀、	沙土地十元至二十五元純沙地二元至十元
	開封陳留	老鴉窩、堤上鴉窩、朱崗、王李寨、柳園、劉莊、郭莊、新貫台、朱崗、	大堤以南黃土大堤以北及壩頭以東沙土	麥、高粱、豆、穀、花生、	三四元
	蘭封	後辛莊、前辛莊、曹疙疸、張疙疸、老貫台、			
	蘭封	雷集、雷辛莊、後雷集、前雷集、高寨、陳莊、程寨、軍李寨、	堤外沙土堤內粗流沙	麥、花生、高粱、豆、	堤外十元至二十元堤內三五元
	開封	四明堂、袁寨、谷營、張村集、王步集、曹步集、沈步集、長中寨、	堤外黃土帶沙堤內均為粗沙不能種植	仝上	仝上
	考城	汪新莊、劉場、齊場寨、王場、李新莊、周場、范場、徐場、前後雙井、	多沙	麥、穀、蕃薯、高粱、果木、以柿為多	十元至三十元
	開封	前孫傳莊、後孫傳莊、張莊、王段莊、張莊、柳莊、府君寺莊、小王莊、	飛沙	麥、豆、高粱、柳條、	瀕河灘地一元至六元坎上高地六元至十元
	開封	郭樓莊、小河頭、蔡莊、劉店、馬莊、賈寨、歐灘莊、新莊、	沙土	麥、豆、高粱、	近河灘地一元至六元遠河灘地五元至十元
	蘭封陳留	老文鄉、夾河灘、薛巷、楊疙疸、王莊、	灘內沙土灘外較佳		灘外二十元至三十元灘內六元

蘭封	李長莊、毛莊、太平莊、朱莊、崔莊、大南北莊、小南北莊、	黃沙土	麥、豆、高粱、花生、	十五元至三十五元
蘭封	前程場、後程場、曹場、米坦、蘇莊、爪營崔場、黃窯、瓦場、	高地沙土膠泥黃河故道係鹼地	高地產雜糧故道產硝鹽蘆葦	
考城	青陵崗、新孔莊、老孔莊、背營、楊莊、新莊、李莊、關場、	沙土	麥、粟、高粱、山芋、花生、果類	四元至二十元
開封	大門寨、吳家堂、小門寨、自廠、賈莊、方莊、堤灣、	多沙土	麥、豆、高粱、花生、	五元至十二元
陳留 開封	東西指寨、支寨、張莊、耿寨、解廟、劉景寨、小蔡莊、程莊、	嫩灘內係黏土高坎上係沙土大堤南多鹼土	仝上	河灘內二三元高坎及堤南十元
蘭封 陳留	無村莊	灘內均沙土餘均為泥土	麥、穀、為大宗	灘內地五六元餘者十元至三十元
蘭封	無村莊	沙鹼	花生、紅薯、間有杏林	五六元至二十五元
考城 蘭封	紅廟寨、廟台南王莊、堤北牌坊、堤南牌坊、新韓陵、高場、崔場、魯場、王莊、後莊寨、	西南部含沙頗多近堤土質沃腴	麥為大宗穀豆高粱花生番薯	西南部五元至十元近堤二十元至四十元
考城 蘭封	紅廟寨、二壩三壩、郭莊、張莊、樊莊、耿藥閣、西二里寨、東二里寨、三河莊、西老君營、	沙土	麥、粟、高粱、花生、	四元至二十元
蘭封	蘭封縣、田莊、二里寨、許樓、春廒、王莊、劉莊、封杜莊、豆腐營、紫房、	沙及沙土	花生、柳條、	二角至二元五角

蘭封	大毛古寨、小毛古寨、王莊、焦莊、李樓、李莊、楊莊、秦莊、	黃河故道河身沙土舊堤南鹽土	高粱、豆、花生、	一元至六元
蘭封	劉崗、蔡崗、七里井、台豐村、水口村、龍井、戴莊、湯坎、	堤內均沙土堤外黃土含沙且有鹹能出硝鹹	麥、花生、	一元至十五元
蘭封	閻頭寨、張良寨、	沙黃土居多	花生、高粱、麥、豆、	十一元
蘭封 民權	閻頭寨、什伍、野莊、白口、南何寨、王莊、張寨、馬莊、內黃、	黃土帶多量沙	花生、麥、豆、穀、高粱、	二元至二十元

第九章　河南省民權縣幅

（圖號一一六—三四—六）

本幅圖內僅鉄路南一角有民權縣之內黃周崗鄧寨牛寨西屯各村無黃河故道遺跡其去現時河流亦甚遠土質爲黃沙土地價每畝約三十元出產頗佳有花生麥穀高粱豆類因有相當收穫又無水災故人民生計尚能維持

第十章　河南省陽武縣 開封縣 封邱縣 中牟縣幅

（圖號一一六—三四—一）

第一節 河流與埝堤險工

黃河由西來入陽武中牟縣界偏東南入開封封邱縣界溜射黑崗口又往東經陳橋偏東南入下圖

此段河勢近年來尚無重大變化堤埝亦尚完整惟河自封邱縣徐莊韋成鎮一帶成西北向東南流大溜直射黑崗口形成頂衝之勢自黑崗口柳園口迤下至徐莊王捲河床較直水小時微向北移其對岸陳橋自清咸豐五年銅瓦廂决口後尚屬平穩但現時河身已漸向北移設在大汛期北移不已頗有直衝陳橋大堤可能故陳橋雖非巨險亦應注意茲將本圖各險工情形以及防護狀況各項依次列表如次以資攷證

黃河地形圖（圖號一一六—三四—一）險工表

險工名稱	縣別	岸別	汎別	起訖地點	險工情形	防護狀況	備考
上段黑崗口	開封	南岸	河南河務局下南分局祥河上汎	七四公里至七六・九二五公里	十六堡至十八堡堤勢南倘常臨大河十九二十兩堡大堤南臨塘坑北臨大河大溜逼近大堤一帶行走時有頂衝之患	本段險工共計石塌十七道土堤六道石垜三十二個護崖十二段埽工十七段各堡計有石塌九道石垜三個護岸九段	本段險工久臨大河多年無變遷二十二年八月大水水面幾與堤平二十三年加高後二十四年七月漲水時堤頂高出水面二三公尺水落後十六至十八堡已成嫩灘串溝十九二十堡仍臨大溜
下段黑崗口	開封	南岸	河南河務局下南分局祥河下汎	七七・七五公里至八〇公里	南臨坑塘北臨大河常臨大溜之處堤工半沙半淤伏秋大汛河水漲各堡埽工塌垜時有擻卸	本段險工計有石塌十八道石垜十二個石工十六個段埽工十段內各堡計有塌工九道石垜二個石工二段	本段險工久臨大河多年並無變遷計二十二年八月大水堤面幾與堤平經二十三年堤工加高後二十四年七月漲水溜勢趨向各堡塌垜現大河仍係順各工前一帶行走

柳園口	開封	南岸	仝上	八四公里至八六，五公里	該段險工堤勢迎河大溜緊靠各埽垛石工前行走土質半淤半沙	本段險工共計石埽十二道土埽一道石垛十二道石工八段內各堡計有埽工七道石垛七個石工三段	該段險工民國以前係平工僅十一堡有祥工大埽一道由民國二年即成險工逐段修築埽垛現各埽仍靠大河
陳橋	開封	北岸	下北分局開封汛及開陳北汛		因南岸老灘過高土質堅實故逢大水必射北岸而北岸大堤又異常沙鬆並有積水無法取土	該工石工居多	

按黑崗口險工近二年來河床漸向東北移大溜直刷老灘故河勢南閤益形吃緊二十五年本會曾在黑崗口朱莊至太平莊間修築石壩三座以資防護

第二節　近年水患及被災狀況

中牟縣之辛寨萬莊教門莊孫校莊封邱縣之徐莊韋成鎮開封縣之東西玉崗西和寨韋灘王才莊楊橋村關店等村均於二十二三年被淹無所收穫又開封縣之東西樊莊封邱縣之李七寨大功莊等村亦於是年被水災不惟秋收無望近河土地且均淤成飛沙不能耕種此外如開封之陳橋鎮梁莊中牟之丁村小街等村堤根內禾稼亦均遭淹沒惟坎上及堤外尚無損失

第三節　地方概況

陽武縣之小埽村朱莊黑石莊等村居民頗殷實各村有小學數所治安情形亦佳封邱縣之西河莊朱莊順義楊樓等村一帶原係沃壤因於清嘉慶九年封邱縣之衛家樓決口大溜奔東北水退合龍後該處遂被沙淤至今尚難耕種此外開封之東西玉崗西和寨封邱之徐莊韋成鎮中牟之丁村小街東漳韓寨等村均係沿河灘地非沙即鹹即土質稍良亦難免大汛時洪水氾濫之災又該縣之陳橋鎮自銅瓦廂改道後高坎一帶未被水災當地情形較南岸似尚安定陳橋爲昔日河北重鎮宋時曾駐重兵於此即宋太祖黃

袍加身處其遺跡有繫馬槐及古陳橋等處

十七年時柳園黑崗之間建有機器房一座內裝抽水機兩架由此吸水灌漑堤外民田惟河勢變遷無常應用之時甚少二十三年河南省政府建設廳復於柳園口裝設虹吸管兩架黑崗口裝置數架吸引黃河之水下通惠濟以資灌漑但目下柳園堤內進水池已爲泥沙淤平

第四節　土質土產及地價

據調查所得各縣農村之土質土產地價各項依次列表如下以供參閱

黃河地形圖（圖號一一六—三四—一）各縣農村之土質土產地價調查表

省名	縣名	村名	土質	土產	地價	備考
河南	陽武	小墻村、宋莊、小圈莊、潘井王圪壋、河沿墻、大崔莊蔣堤、田莊馬新莊、	黃土	高粱、豆、麥、穀、玉蜀黍	四五十元	上列村名係擇圖中村莊較大者列入其他從略以下倣此
	陽武開封封邱	黑石莊、辛莊、劉莊、馬莊、王莊、回潯、郭莊、焦莊、仁存堤、高莊、大陸門、小陸門、	沙土	麥、豆、花生、穀、	十元至三十元	
	封邱陽武	西河張、朱莊、馬莊、邢堂劉莊、小三里莊、大三里莊、殷卿閣、桃園、	堤南膠泥堤北鹼地	堤南豆麥高粱堤北鹽鹼	堤南二三十元堤北四五元	
	開封封邱	小方莊、九家村之北部丁莊、之南部老鴉、張順義、楊樓、蔣樓、小、金龍口、荊龍工、孫寨、西堤、	堤南膠泥地堤北鹼地	麥、豆、高粱、	堤南十五六元堤北五六元	

開封	水閘、朱砦、前齊寨、後齊寨、小晏堤、啞叭寨、	沙地	麥、豆、高粱、花生、	西部堤外二十元至二十八元堤內十元至十四元東部沙邱十元
封邱	小莊、楊樓、桑園、紹上、墦台、			
中牟	辛寨、萬莊、九堡村、李莊、	沙土	麥、豆、高粱、	二十元至三十元
封邱	徐莊、韋城鎮、後韋莊、范莊、昝莊、邢堂、			
開封	辛莊、西玉崗、東玉崗、西和寨、柴寨、小辛莊、段莊、	黃土	麥爲大宗豆及花生高粱次之	十元至十五元
封邱	孫莊、	高地係沙土灘內多純沙	豆、麥、穀、	高地十五元至三十元灘地五元至十五元
開封	丁莊、順河集、			
開封	東樊莊、西樊莊、丁莊、胥莊、辛店集、謝砦、			套堤大堤間及老灘高地十五元至二十元河灘及套堤北沙地六元至二十五元
封邱	李七寨、大功莊、三姓莊、	沙土	麥、豆、高粱、	
開封	梁莊、張莊、王莊、司莊、大楊莊、小楊莊、馬張寨、皮樓、白寨、羅莊、陳橋鎮、	土質微含沙性	豆、麥、高粱、花生、	堤內五元至八元堤外十元至十七八元
中牟	丁村、小街、東彰、太平莊、張白莊、四口村、周莊、萬莊、楊小莊、盾莊、	合城南部沙質	麥、豆、高粱、瓜、	堤外四五元堤內約十元
開封	韋灘、王才莊、曹樓、南北街、辛莊、解莊、	沙土	麥、豆、粟、高粱、	高地五元至十五元老灘十元至二十元
中牟	教門莊、孫拔莊、王莊、東滹、			

開封	楊橋堤、閻店、	灘地多砂	以麥爲大宗豆及高粱次之	
開封	南北堤、後崗、埽壩、雙堡、馬頭集、朱莊、劉莊、太平莊、回回寨、老君堂、	沙土	稻、蒲、草、穀、麥、高粱、	南北堤兩傍湖田十元至三十元平地八元至二十元
仝上	新莊、趙場、柳園、半家場、孔堂、小壩、上岳寨、薛樓、馬莊、和尚莊、老君堂、	堤北土質飛沙黃惠河道鹽鹼地堤南沙土	高粱、麥、豆、	十元
仝上	徐莊、王卷、	沙土		老坎約十五元左右灘地一元至五元
中牟	東漳、韓寨、後韓寨、宵街、堤頭村、賀崗、小羅崗、大羅崗、劉方莊、	沙崗地瘠東部含鹼	花生、高粱、	東部三元西部四元
開封中牟	魏灘、斜廟、青孤堆、蚕街北堤、瓦坡村程堤、朱崗堤、東漳、	堤外鹼地南部沙地沙地堤內黃土	麥、豆、高粱、番薯、鹽硝、	堤內十五元堤外三四元
開封	姚寨、太平莊、落堤、寺光疸、曹寨、張楞、後時莊、太平堤、西猥城、	堤內黃土堤外含鹼南部多沙	麥、豆、高粱、花生、	堤內五元至十二元堤外二元至五元
仝上	張家灣、舊寨、堤角、闞菴、高寨、花生莊、余梁寨、管莊、新堤頭、	沙土	花生、柳條、	三四元至十二元
仝上	張吳寨、魏灣、馮寨、焦街劉寨、吳寨、郭樓、老劉店劉莊、半堤、	南堤北以及開封護城堤以南係飛沙南堤與護城堤沙土	豆、麥、高粱、柳條、花生	飛沙地一元沙土地二三十元

仝上	南北店、傅寨、單張樓、袁房、徐莊、馬莊、前後灣堤、東西灣堤、祁寨、	黃沙土	麥、豆、花生、高粱、小米	堤南二十元至三十元堤北十元至二十元

第十一章 河南山東省 民權縣 曹縣 蘭封縣 考城縣 睢縣 甯陵縣 商邱縣 幅

（圖號一一六—三四—七）

第一節 地方概況

此幅大半爲黃河故道卽清咸豐五年銅瓦廂未决口以前黃河自儀封向東南流所經過地點現河勢雖已積年淤墊但黃水有時仍由舊口門漫溢故道或爲雨水瀦存不能宣洩如民權縣之辥莊許莊等村積水達數公尺又如東屯西屯西高集各村於二十二年時遍地汪洋幾成澤國漫溢之廣已達蘇皖二省倘非是年冀省河決三十餘處則大溜大有直返故道捨北趨南之勢又黃河故道大半多沙鹹之地一經漫流淤墊或有變爲沃壤轉能耕種者故道兩旁堤埝大都殘破亦無其他河流可資灌溉

各縣村莊居民以務農爲業間有學校教育頗尉幼稚民權縣各村土地尚能耕種間有難耕之地面積亦小二十二三年水災因距黃河今道尚遠漫水亦未波及而人民仍多貧苦不堪者殆由農村凋敝生產薄弱所致考城縣之孫卜樓油樓曹縣之東西王莊曹莊商邱縣之趙莊前後王小莊等村人民勤儉耐勞收穫尚豐似較民權爲強甯陵睢縣以及民權考城之一部分村莊則因土地磽瘠出產甚少居民多以拾柴草爲生極爲貧苦

第二節 土質土產及地價

據調查所得各縣農村之土質土產地價各項依次列表如下以供參閱

黃河地形圖（圖號一一六—三四—七）各縣農村土質土產地價調查表

省名	縣名	村名	土質	土產	地價	備考
河南	民權	西屯、西高集、東屯、郝寨、徐莊、官莊、王莊、新莊、胡莊、劉莊、	沙土	麥、高粱、紅柳、花生、	黃河故道一二元 堤北坎上三十元	上列村名係擇圖中村莊之較大者列入其他從略以下倣此
	民權	大王莊、江集、新趙莊、戴莊、李孟高、小王莊、				
	蘭封	王莊、謝莊、畢集、老趙莊、小程莊、胡莊、西北莊、	黃沙泥地	麥、高粱、穀、玉蜀黍、花生、	十元至三十元	
	民權	馮官帝廟、馬樓、小王莊、黃村、趙干樓、魏莊、新莊、小趙莊、馮花、	黃沙泥地	豆、麥、穀、高粱、花生、	十五元至三十元	
	考城	呂莊、常莊、月耳道口、任莊、小樓、廿莊、				
	民權	陳莊、蔡油房、王三窩、張莊、葛莊、陳莊、張莊、楊堂厦莊、	黃沙泥土	麥、穀、玉蜀黍、高粱、豆、	五元至三十元	
	考城	康莊、黃莊、郝樓、張樓、申莊、李莊、趙莊、來莊、				
	民權	何樓、道口、呂園子、玉閣、前金莊、後金莊、	黃沙泥地	豆、玉蜀黍、麥、高粱、	十五元至三十元	
山東	曹縣	王廠寨、青山集、羅莊、張莊、李莊、姬莊、劉堂、王莊、程樓、曹樓、	沙地	豆、麥、穀、高粱、	三十元	

山東	曹縣	張莊、劉莊、大鄭莊、前武莊、馮莊、孔莊、張莊、	淤地	麥、豆、穀、高粱、	二十元
河南	考城	朱莊、謝園子、張八樓、張劉莊、張新莊、			
河南	民權	杜莊、劉莊、李莊、張堂、野鷄崗、魏興集、陳大伙寇莊、楊莊、	沙土居多	麥、豆、花生、紅柳、	五元至三十元
	仝上	白莊、李莊、劉莊、陳莊、高莊、東新堂、西新堂、李莊、牛莊、	沙土	麥、豆、穀、高粱、紅柳、花生、	二元至二十元
	仝上	薛莊、許莊、張樓、焦莊、五間樓、大范集、魏莊、王大莊、東莊、賈莊、	沙土帶膠性	麥、豆、穀、高粱、小米、花生、紅柳、	八元至三十元
	民權	林七口、焦莊、新莊、郭莊、白小莊、白老家、梁窯、趙莊、王莊、楊口、吳堂、	大部黃土	麥、高粱、豆、穀、花生、	十五元至三十元
	仝上	王莊、胡樓、梁莊、朱莊、盛莊、蔡堂、陳莊、龐莊、郭莊、大李莊、郭莊、	淤土	豆、麥、高粱、穀、	二十元
	民權	于王莊、閻莊、李莊、郝莊、趙莊、	淤土	仝上	十五元
	考城	孫卜樓、油樓、小高莊、何莊、宿莊、王莊、			
山東	曹縣	東王莊、西王莊、曹莊、王黑莊、徐莊、郭莊、小姬莊、邵莊、王莊、	淤土	仝上	四十元

河南	考城	張圍子、秦莊、謝莊、院莊、大岡集、李莊、喬莊、朱莊、張莊、拐譚、	淤土	仝上	二十元
	仝上	賈莊、小賈莊、胡老家、秦小樓、小李莊、秦大門、羅莊、後趙莊、	淤土	花生、	一元
	民權 睢縣	王莊、袁莊、田莊、南北崗、魯莊、柳行、韓莊、王莊、羅店、樊樓、汉行、張莊、儘各樓、劉店、	大沙部土	麥、紅柳、花生、	一元至五元
	民權	王莊、崔莊、吳莊、趙洛口、老郝集、孫莊、朱莊、灘樓、何集、韓莊、	壤土含沙較少	麥、高粱、花生、	十元至二十元
	仝上	鐘樓、賈莊、霍莊、豆腐營、戴莊、羅莊、李莊、王莊寨、	黃沙泥地	豆、穀、麥、花生、高粱、玉蜀黍、	十元至二十五元
	考城 民權	秦蓮樓、姬莊、胡蔡園、胡莊、曲單口、胡樓、姬莊、	沙土	花生、小米、	一元
山東 河南	民權 曹縣	孔閣寺、槐莊、岳莊、劉莊、胡莊、耿莊、胡蔡園、耿莊、槐莊寨、王莊、李樓、	淤土	豆、麥、穀、高粱、	十五元至三十元
河南	民權 甯陵 睢縣	禹王老家、大張莊、王新莊、蔡莊、王堂、前屯、後屯、	大沙部土	麥、穀、花生、柴、草、	一元至十元

	民權	張公帽、孟莊、霍莊、張六口、王樓、六六灣、	黃土	麥、高粱、穀、	五元至二十元
	甯陵	趙門樓、韓莊、二保寨、韓堂、堤灣、甯莊、			
	民權	馬屯、趙莊、陳莊、李莊、			
	甯陵	傅莊、王莊、趙莊、孫胡同、馮莊、柴莊、	黃泥沙地	麥、穀、高粱、玉蜀黍、	十元至二十五元
	商邱	許莊、			
	民權	吳屯、胡莊、郝樓、吳莊、			
河南	商邱	道莊、前王小莊、後王小莊、	黃泥沙帶有碱性	豆、玉蜀黍、穀、花生、麥、	五元至二十元
山東	曹縣	楊堂、			
河南	甯陵	戴莊、楊莊、李樓、曹莊、白莊、胡莊、李莊、全莊、范莊、	壤土	高粱、麥、花生、穀、	二十元
	仝上	潘莊、裔大樓、侯莊、楊店、楊樓寨、李莊、謝莊、郭莊、郭老家、	黃沙土	麥、高粱、穀、	十元至二十餘元
	甯陵	喬集、王橋、商莊、杜莊、周莊、			
	商邱	程莊、申莊、桂莊、梁莊、前喬樓、後喬樓、	黃泥沙	豆、花生、穀、麥、高粱、	十五元至三十元
	仝上	李小樓、吳莊、洪莊、張祠堂、黃新莊、贊莊、楊埚、韓樓、黃莊、	黃泥沙	豆、高粱、穀、玉子、	二十元至三十餘元

第十二章　河南省陽武縣幅

（圖號一一六—三五—一三）

圖內陽武縣無河流有碼頭至小王莊大堤一段堤外並有西通武涉縣郝馬營東至廷津之天然渠舊已殘廢現又從事挖掘惟其功效只於宣洩雨水無灌溉之利

大賓集沙嶺梁東臉劉老莊等村土質黃土鹹土互見地價由十元至三十元產豆麥高粱鹽等太平鎮東街寺雙井羅李等村土質係沙土及鹹地產豆麥花生高粱及鹽地價由三五元至十數元不等農村經濟僅足自給既未受二十二三年水災地面亦稱平靖惟教育不振只大賓集有縣立高小一處餘多私塾風氣頗閉塞

第十三章　河北省長垣縣東明縣　河南省蘭封縣封邱縣　幅

（圖號一一六—三五—一四）

第一節　河流與堤埝險工

黃河由蘭封縣南來往北入長垣縣界偏東又偏東北入東明縣界此段河勢仍爲清咸豐五年決口改道後流向所經無重大變化惟長垣縣北岸大堤如大車集九股路燕廟二郎廟孟崗石頭莊大蘇莊等處堤前有大串溝一道小串溝百餘道每年伏秋大汎黃河橫流由各小串溝匯注於大串溝而太行堤衛延渠之積潦又交相匯注稍有不愼即難免潰決塌蟄且該處土性沙質甚富本不足以抵禦洪流故二十二年大水自大車集至石頭莊決口三十處二十三年夏貫台決口大溜經過又冲決東了牆九股路香亭張五寨四處雖經先後堵復而其險情爲未可忽視也

南岸東明縣之小廒莊亦於是年因堤內串溝吸溜繼以洪水漫灘內注水勢甚猛遂致潰堤橫流經過河北之東明縣及魯西之

菏澤鉅野等縣境轉入昭陽湖

小龐莊自來堤內即緊靠串溝二十四年曾出漏洞甚多幸搶護得力未致成災該段堤面坦坡尚稱齊整惟在閻譚一帶有斜李莊來之串溝小李莊一帶有閻通集來之串溝溝身寬大直射大堤形勢頗爲險惡雖有護沿仍須加廂最近雖新做截壩四道因係新工尚未堅實亦應嚴加防護

霍寨上游李連莊（河北河務局南二段）原爲清光緒年間巨險二十四年大溜頂衝霍寨下十一堡至十二月始脫險今則河流稍有變化壩基附近已成清水天河咀之西又現淤灘溜已西移約距岸半公里直下西北矣

李連莊雖爲清光緒年間巨險但河勢變化不常民三北岸雙合嶺決口河流北徙李連莊脫離巨險民七八兩年河溜又趨李連莊九年溜又外移十一年河又趨李連莊十四年又外移堤前有大串溝一道伏秋大汛河水流入串溝逼近堤根歷年已將大堤修培尚形高厚並未發生意外至二十四年九月中旬大 溜又陡變 方向節節內逼 淘刷甚烈經竭力搶護至十二月始告平穩該處險工情形與冷寨大致略同原建有土壩十三道每壩廂有稭埽七八段十餘段不等並有磚壩二道近年於十一堡附近增築新式磚柳挑水壩二道

豫境北岸大堤至西壩頭爲止由西壩頭至大車集一段向無堤埝可資防禦當地人民頻受水災不能耕種故貫台口門於二十四年堵復後曾修築貫孟堤原計畫擬由貫台修至孟崗嗣因他故祇修至雙王爲止自雙王迤下雖有華洋舊堤但年久失修堤形已失每在汛期內黃流仍經此以淹沒蘭封長垣之武樓沙窩腦裹集左砦蘇莊一帶村莊二十五年復接築小埝自雙王至武樓一段（按上述工程係在測量該地之後茲因編輯至此故併敘入）自此串溝側注之水被截堵之後其患乃稍戢焉

第二節　馮工紀要

一、馮樓決口之經過　冀省黃河在民國二十二年春水既旺底水又深伏水之大自在意中乃於八月三日北一段長垣石頭莊大堤被匪掘開兩口一長一百七十餘公尺一長七十餘公尺出水不多正在進堵間迭接陝州測站電報河水更番陡漲迨八月十日又接該站急電八九兩日河水暴漲四公尺高於大沽海平二九七·〇四公尺打破已往紀錄十一日陝州大水驟至先續漲約一公尺半各段已拍岸齊堤巔·兩次續漲約一公尺半北一段石頭莊首當其衝兩口冲成一氣張武才寨燕廟兩處水已漫過堤頂與南一段小窩莊同遭漫決北一段燕廟香亭又續漫兩處適河水愈漲愈高自石頭莊至大車集水均高出堤頂二三市尺不等三十五里長堤悉沒水中查該段大堤土性純沙隨溜傾瀉計北一上段共漫決大小溝口三十處（參看下表）長者三四百公尺短者數十公尺並有十餘處於十七日水落時已見淤淺其石頭香亭兩處並將兩口刷透併成一口臨背河淤墊最高之處有與堤平者有高出堤頂一二市尺者各段堤頂之上間有積淤一二市尺者則當時水面超高之尺寸較之沉澱之泥澱勢必更高尤可想見矣

河北省黃河決口一覽表

決口	地址	堤岸	決口寬度（公尺）	決口平均深度（公尺）
河北長垣第一決口	大車集	北岸	七二，〇	四，一
第二決口	梁家寨	北岸	六〇，〇	五·七
第三決口	梁家寨	北岸	七九、〇	四、一
第四決口	梁家寨	北岸	一〇五、〇	五、〇
第五決口	梁家寨	北岸	五九、〇	六、一
第六決口	東了牆	北岸	一三八、〇	六、〇
第七決口	東了牆	北岸	二三、〇	二、三
第八決口	東了牆	北岸	五五、〇	四、五
第九決口	東了牆	北岸	五〇、〇	四、三

第十决口	東了牆	北岸	八一、〇	三、九
第十一决口	東了牆	北岸	一一四、〇	四、五
第十二决口	馬房	北岸	二六四、〇	三、八
第十三决口	馬房	北岸	二九、〇	三、七
第十四决口	九股路	北岸	七八、〇	三、五
第十五决口	九股路	北岸	一〇二、〇	四、三
第十六决口	九股路	北岸	二四、〇	二、八
第十七决口	九股路	北岸	一四六、〇	五、五
架十八决口	九股路	北岸	一六二、〇	四、四
第十九决口	楊橋	北岸	六七、〇	五、三
第二十决口	楊橋	北岸	三二、〇	三、三
第二十一决口	香里張	北岸	一五八、〇	四、四
第二十二决口	香里張	北岸	二九、〇	三、七
第二十三决口	紙坊集	北岸	八五、〇	三、四
第二十四决口	紙坊集	北岸	一一四、〇	三、六
第二十五决口	劉案	北岸	一八八、〇	三、六
第二十六决口	香亭	北岸	一四一、〇	三、〇
第二十七决口	香亭	北岸	八五四、〇	四、三

第二十八決口	燕廟	北岸	一五〇、〇	三、〇
第二十九決口	張武才寨	北岸	六〇、〇	二、一
第三十決口	石頭莊	北岸	三二五、〇	五、七

上述漫決口門共三十處除旱口門已先堵塞外其香亭石頭莊兩水口受馮樓馬寨豁頭四道河口之水建瓴直下勢旣洶湧尤以石頭莊口門最爲迎溜頂衝奪全河之大溜百分之九十三強大溜經過河南之滑縣河北之長垣濮陽山東之濮范壽張陽穀等縣苟非金堤爲之防護則勢將益擴大誠百餘年未有之巨災也

二、馮樓堵口工程計畫　當時堵口工程除將石車段各旱口先行堵塞外如仍就香亭石頭莊兩堤水口堵築合龍其患約有三端1.由馮樓馬寨至石頭莊所刷新河溝長及十餘里全河奪溜勢若建瓴倘先堵香亭石頭莊堤口如此通長之河溝急溜之流勢不易挽回正河必至沿堤直下北岸大堤悉變險工2.如將香亭石頭莊兩堤水口先行堵合則馮樓馬寨各道河溝之水必仍直趨香亭石頭莊循堤前舊串溝以行自石頭莊迤下數十里長堤均緊逼大溜悉成新險將來旣不易防守並慮流勢工情發生重大變化3.大堤水口堵合後各道河溝水勢必陡見抬高沿溝兩岸村民必受氾濫冲刷之患故經詳細測勘妥定計畫先將馮樓馬寨四道河口同時堵塞俟堵合後再修復大堤其利有三1.在河口進堵距離正河身較近各道河溝漫水易於挽回正河2.當漫口以前大河溜勢由馮樓迤南坐灣折趨東北漫口以後大河溜勢由馮樓刷透坐灣逕趨石頭莊大堤口門已成直線馮樓迤下正河身日見淤淺今由馮樓河口挽堵則正河身及對岸淤灘均可較易刷去溜勢挽回亦較順便3.河灘沿溝各村可免氾濫冲刷之患並免河身發生變化及石頭莊迤下大堤槊溜出險之虞

據上述種種關係故香亭至石頭莊第二十七及二十八以及第三十等口暫從緩堵卽先進堵馮樓馬寨各河口計河口有四除一二四決口溜過以後水勢漸弱口門亦淺施以柳壩攔阻已經淤塞外其第三決口則爲全河大溜所經施工頗難其堵塞計畫茲略述如次

(1)第三河口定以沉船繫網仍以掛柳方法進行堵築嗣因造船需時改用柳枝甎石拋壓鉛絲網內平舖層壓全線同時並舉修成柳石透水壩

(2)在馮樓馬寨窰頭兩岸修做護岸及緩溜工程藉收護岸停淤之效

(3)爲分洩水量易於堵築工作起見在馮樓迤南挑挖四道引河藉資補助

按上述(1)項堵築計畫預計其效果有三1.壩之全身既過透水而不過溜泥緩沙停藉自然之力使之逐漸掛淤2.所做柳壩係通身結網同時壓拋柳石並無合龍刷深沉走等弊全壩均勻過水決無束溜全注口門特別抬高金門水位之患3.石料雖運路過遠而沿河所種柳枝產額尚富取料較易且柳枝鉛絲等材料堅韌耐久

三、馮樓堵口工程實施次序　堵口工程計畫既經確定依其工程性質之緩急時間之支配員工之調遣以及材料運輸各項均經統籌兼顧次第興工茲分述如次

(A)堵築工程

石頭莊至大車集一帶大堤計漫決大小口門三十處除香亭至石頭莊第二十七及二十八及三十等水口門暫從緩堵外其餘旱口門於二十二年十月十二日興工將第二十九口門先行堵塞第一至第十五各口門計十三萬二千二百方招包趕修第十六至二十六各口門計十一萬八千五百方由長垣縣招編民夫分工承修以上均於十二月二十二日以前一律告竣

(B)緩溜工程

(1)第一河口木樁散柳透水壩於二十二年十月三十日興工

(2)第二河口木樁散柳透水壩於二十二年十月五日興工

(3)第四河口木樁散柳透水壩於二十二年十一月七日興工

以上各工因進行順利先後告竣各河口即於十一月下旬完全斷流

(C)護岸及攔水工程

護岸工程先在第三河口兩岸廂做數百尺以防冲刷均用鉛絲網作底舖以柳把壓以磚石逐層捆縛聯成整個以期堅固計西岸一道長二百公尺東岸一道長六十公尺馮樓西一道長一百五十公尺窯頭南一道長四十公尺

攔水土埝工程由石壩兩翼起至石頭莊大堤止各修圈埝一道左翼自馬寨起至孟崗止長五千二百六十七公尺右翼自馮樓起至第八堡止長七千三百二十四公尺以防桃汛漲水時抄入後路妨害石頭莊堵築新工

(D)引河工程

引河工程在馮樓迤東挑挖引河四道俾分洩第三河口之流量並在第四引河對岸做柳壩一道以容納大溜於正河

(1)第一引河長四百九十六公尺於二十二年十一月七日興工十八日放水

(2)第二引河長七百零五公尺於二十二年十一月十四日興工十二月十一日放水

(3)第三引河長一百二十公尺於二十三年一月七日興工二十九日放水

(4)第四引河長八百七十二公尺於一月七日興工留備水漲時使其自由冲刷以免淤塞而暢其流至四月十日冲刷過水惟全河大溜挽趨正軌得三四兩引河之力居多

(E)石壩工程

石壩工程(即A字透水壩又名揚耿壩)即第三河口堵閉工程自第一二四河口淤塞全河大溜集注於此爲當時堵口工程最難者自二十二年十月二十四日由第三河口西岸馬寨進做透水柳壩二十三年一月四日接至河心島樹一月二十三日由島樹至馮樓試以沉排法用打樁結網拋壓柳石不料凌汛大至冰塊山積工程因之極受影響迨凌後水落以柳石相間法東西兩壩同時進展幾經變化始得做至兩端相距二十五公尺所謂全河合龍挽回大溜導入正軌以完成此堵口工程者即在此其時水漲溜急而又工料兩缺實屬危險萬狀迨二月中旬國民政府黃河水

災救濟委員會委員長孔公乃改派孔委員象總視察工振組主任祥榕繼任負責辦理確定計畫力圖補救一面調度火車船隻速運蠻石廣集磚柳蔴袋鉛絲以爲趕堵合龍之準備奔走浹旬工料集中一面督飭員夫澹堵兼施遂於二十三年三月十七日集齊技術河工人員率領工兵卯夫下令搶堵並親在東西兩壩督導指揮至下午三時石出水面兩端已銜接五時宣告合龍

（F）閉氣工程

閉氣工程即窰頭攔水閉氣埽壩兩端將近堵合之際因溜勢奇猛抵禦極難東端復經坍墊工振組孔主任以原定所作堵口工程之本身紛髮單薄即加寬坡度增加禦力然經此坍墊殊爲隱憂並以爲漏樓全流過水甚久此時雖幸將狂流挽歸故道恐水起流急仍當頂衝故於原計畫透水壩合龍之時關於閉氣工作則採工程會議所議決及核准之窰頭攔水閉氣壩埽並同時修復石頭莊口門大堤蓋埽壩修築之後前可藉水戧內外平衡之力以保護石壩後可攔住石壩透水屏瀋石頭莊新堤復可救濟附近數十村田廬所費不鉅收益極多當年伏汛水至石壩得以保存石頭莊新堤能免潰決其功效至爲明顯該壩於二十三年四月二十日堵合完竣

（G）加培工程

石頭莊至大車集長凡二十一公里其漫決各口門雖經先後堵築完竣惟因河底淤高堤身卑薄乃添做加高培厚工程設立大車集九股路香亭三分段分別興修計加高堤身平均高出二十二年洪水位二公尺堤坡內外一比一、五堤頂寬八公尺於二十三年七月十二日全部完工

四、馮工主要料物之籌備　查各項堵口主要料物計分石料青磚柳枝蔴袋鉛絲洋松椿鐵錨等均經分別採購運往工地以應工需其籌備情形略述於後

（1）蔴袋　需用數量甚巨分在京滬採購交由京滬津浦隴海等路運至開封車站車運至蘭儀渡口再用船運工次惟關

工之始所需蔴袋因京滬未能運到而待用孔殷乃先在開封道口等處儘量採購以濟急需

(2)石料　馮樓各口門需石最多初由河南鞏縣石商承運惟該處距工窵遠船行甚緩加之天寒河凍未能依限運到而工情緊迫特在徐州大湖石廠收買大批鑿石由隴海路及工振組所安設之輕便鉄道運至蘭儀渡口然後裝船運工

(3)青磚　關於磚料之收買極費計畫且自被災以後各窰戶相繼停業不得已乃擬盤窰自燒終因近工不能設廠中止遂令長濮兩縣縣長勸諭各村災民挖取舊磚運工發售一面佈告招集各工販分赴蘭封考城滑縣濮陽東明等縣沿河販運但不得距工三十里以內與災民爭購致發生壟斷情弊此次所用磚料爲數甚巨經多方設法始能勉濟工需

(4)柳枝　堵口工程材料除磚石鉛絲外以柳枝爲大宗當在工地附近派員設廠收買不論數量多寡一律隨到隨收發給現價嗣因附近各村柳枝收買殆盡各商販承購柳枝亦不能如期運到復在長垣南關及近堤各村增設數廠以便災民就近售賣該工地長濮滑蘭考東等縣災民加作工作來源激增所需柳枝乃無缺乏

(5)鉛絲　堵壩護岸等項工程大半皆藉鉛絲以爲聯繫故先在京滬兩處按規定號碼價爲採購派員沿京滬津浦隴海等路押運至蘭封交工賑組所設之蘭封運輸處轉運工次

(6)洋松樁　此項木樁質量均有規定有需長至六十尺者就地不易購得乃由滬漢採購分別運至黃河北岸或蘭封車站再裝船運往工次應用尚稱便捷

(7)鐵錨　堵口所用鉄錨初託豫魯兩省河務局代爲定製收買嗣因鉄價運費均昂查知考城南鄉有善造鉄錨者即與商定價格指示式樣令其設爐承造其價格較汴濟爲廉且能如期交貨足濟工需

第三節　近年水患及被災狀况

本幅圖內各縣受災情形可概括爲三處(一)長垣縣北岸(二)東明縣南岸(三)蘭封封邱北岸

（1）長垣縣北岸　二十二年大水長垣縣北岸大堤由大車集至石頭莊決口三十餘處如李村曹村馬砦孟崗石頭莊高野砦馮樓紙房集香亭香野張十二里張九股路東了牆大車集等村悉遭淹沒洪流由三十里長堤漫頂而過堤外地窪如建瓴倒峽四瀉狂趨不可遏止近堤各村人民逃居堤上距堤較遠處則避登高埂其顧戀財物不及早避者皆徐升屋頂樹梢或用門扉板結聯爲木筏盡室偕逃狂呼乞救惟因水深流急木筏既易冲散並因樹拔屋倒仍不免葬身澤國水退後所有田地又悉被沙淤竟高至三公尺有奇且溝渠遍野無法耕種以致人民流亡道路厥狀至慘

（2）東明縣南岸　東明縣齊王集一帶因受長垣縣龐莊及考城袁寨決口影響水往下注寬二里許高一丈直衝東明一區分爲三股其一卽經齊王集土地長崗村等村沿河堤經該縣二區八里店等處出縣境水勢過猛受災慘重又附近村莊如長垣縣之辛莊程樓東明縣之皇姑翟莊劉樓等村受害亦深房屋十毀七八土地悉被沙淤雖休養生息數十年未易恢復原狀也

（3）蘭封封邱北岸　二十三年大水貫台決口奪全溜當時洪水橫流自口門經周村口東辛莊等村潰決東了牆九股路等四口門流向長垣等縣在未合龍以前如蘭封之大馬寨蘇莊雙王封邱縣之段寨張莊等村因房屋之倒塌於水以及連年農產無收居民無法謀生大半出外就食

第四節　地方概況

長垣一帶民性樸實耐苦生活簡陋居民大半以農爲業間有在外營商者鄉間無學校卽私塾亦少兒童完全失學民智不開可見一斑亦因連年水災慘重百業俱廢當二十二年大水時人民多流亡在外就食至今雖有少數歸來重理農村事業但仍觸目荒涼未易恢復原狀

第五節　土質土產及地價

據調查所得各縣農村之土質地價各項依次例表如下以供參閱

黃河地形圖（圖號一一六—三五—一四）之土質土產地價調查表

省名	縣名	村名	土質	土產	地價（畝）	備考
河北	長垣	石頭莊、李村、李村寺、曹村、	沙土	麥、高粱、穀、玉蜀黍	四五元	上列村名係擇圖中村莊之較大者列入其他從略以下倣此
	長垣	杜寨、魏寨、大小蘇莊、高後宋莊、	細沙	麥、豆、高粱、	十五元	
	東明	文寨、晉士集、土地長、崔寨、	沙地	玉米、麥、豆、小米、	五六元至十一、二元	
	長垣	吳莊、王莊、孫莊、馬莊、	沙地	同上	同上	
	長垣	馬砦、琵琶、張蘆崗店、程莊、	沙土	麥、花生、紅薯、	四五元至十元	
	長垣	王寨、佘寨、油房、馮樓、	沙土	麥	四五元	
	長垣	毛店、王李莊、孫砦、杜砦、	淤土	麥、棉、穀、	十元	
	長垣	魏寨、紙房集、香里、張、楊橋、	土含沙質	麥、豆、	五元至十元	
	長垣	馬砦、鐵廟、吳砦、張砦、	洪水前灘內爲沃壤洪水後淤沙山七八公寸至一公尺餘不等	雖種小麥收穫難望有種紅薯之勢	原爲三十元今則最高不過七八元	

長垣	灘地搖村名	純沙	路能產豆	一元至五元
長垣	燕莊、崔莊、王四砦、薛莊	洪水後盡變爲沙地	雖種小麥收穫難望間有種花生紅薯	二元至七元
濮陽飛地	白莊、孟莊、裴莊、李廟、	沙地洪水後淤沙自一公尺至二公尺土質更劣	麥爲大宗棉花五穀均有種者	高者五六元低者一元餘
東明	梟姑、霍莊、劉樓、程莊、	同上	同上	同上
長垣	水坑、趙營、陳莊、郭莊、	同上	同上	同上
長垣	大車集、李莊、東了牆、董寨、	純沙	高粱、豆、小麥、	五角至二元
長垣	丁寨、孟寨、總營集、楊樓、	土含沙質	麥、豆、	三元至十元
長垣	閻莊、林口、關莊、范莊、	同上	同上	三元至八元
長垣	龍莊、王莊、二分莊、李莊、	同上	麥、豆、花生、棉、	堤西三元至六元堤東四元至九元
長垣	前後龍相、楊莊、周村口、東辛莊	純沙	麥、高粱、花生、豆類、	一元至三元
長垣	後殺場、高寨、董寨、吳寨、	同上	麥、高粱、豆類、	
蘭封	東沙窩、武樓、	同上	同上	華洋堤西由一元至五元華洋堤東由五角至一元
長垣	豆店、馬廠、王寨、温寨、	沙土	同上	八角至四元

長垣	焦寨、老李莊、劉村、韓莊、	土質合沙	麥、花生、豆、菓木	堤西三元至五元堤東五元至十元
長垣	小馬寨、小新莊、蔡寨、張寨、	沙土	麥、豆、花生、高粱、	三四元
蘭封	高章寺、雙王、吳堂、苗寨、	同上	同上	同上
封邱	段寨、張莊、郝寨、于寨、	同上	同上	同上
蘭封	西沙窩、前左寨、後左寨、	純沙	麥、高粱、豆類、白薯、	華洋堤西一元至五元華洋堤東五角至一元五角
蘭封	馬砦、文寨、李壁莊、	沙土	麥、高粱、豆類、	一元至八元
長垣	王夾堤、王莊、徐夾堤、沙寨、	同上	同上	同上
長垣	開州莊、丁寨、呂寨、李莊、	土質合沙	麥、棉、豆、花生、	堤西三元至五元堤東五元至八元

第十四章 山東河北省荷澤縣東明縣定陶縣濮陽縣曹縣長垣縣幅

(圖號一一六—三五—一五)

第一節　地方概況

本幅圖內各縣村莊距黃河故道及現時河流均遠故全境無河流亦無大堤僅荷澤縣之劉窪李窪有民埝一道以防洪水侵入

又該縣晁八寨周莊晁寺附近有古趙王河一道橫貫南北爲黃河未北遷以前減洩黃水之用並爲交通要道但現在已淤塞舊日河身尚約略可辨

各縣村莊以荷澤縣佔大多數陶定縣次之東明濮陽又次之長垣縣僅有數村而已以不受黃河水災故人民多安居樂業貧富亦無特別懸殊且土地肥沃較之河南河北各縣村莊其出產量超過甚鉅以是農村經濟較好教育亦有相當發達如荷澤縣之陸莊戴莊定陶縣之孫莊周樓等村均有學校惟濮陽東明長垣各村雖土地較本境其他各處稍有收穫但民智則仍屬低落

第二節 土質土產及地價

據調查所得各縣農村之土產土質地價各項依次列表如下以供參閱

黃河地形圖（圖號一一六—三五—一五）各縣農村之土質土產地價調查表

省名	縣名	村名	土質	土產	地價（畝）	備考
山東	荷澤	陸莊、營莊、陸澥、楊店、穆莊、劉菜園、委西治、戴莊、紙房、	黃泥地少帶有沙性	麥、玉子、油菜、穀、豆、	三十元至七十餘元	上列村名係擇圖中村莊之較大者列入其他從略以下倣此
山東	荷澤	柱莊、耿莊、何樓、桑屯、許屯、閆屯、蕭樓寨、	黃泥沙地	豆、高粱、麥、玉子、穀、	十餘元至六十餘元	
河北	東明	吳屯、大屯、胡屯、				
同上	同上	郭莊、何樓、張莊、楊莊、吳道溝、前尚莊、刁屯、	黃淤土	麥、高粱、油菜、豆、穀、	三十元至七十元	
山東	荷澤	羅莊、高莊、火神廟、小王莊、玉皇廟、李莊、牛莊、沙土集、劉樓、	淤土	豆、麥、穀、高粱	七十元	

	荷澤	晁大莊、晁八樓、寺門莊、桑莊、劉莊、高路口、駝莊、杜居、李店、	淤土	穀、麥、果品、	八十元
	荷澤	黃屯、龐莊、馬莊、後崔樓、佃戶屯、前崔樓、	淤土	豆、麥、棉、	八十元
河北	東明	雷莊、毛蒞村、蘭莊、鄭樓、張德、宏李王屯、			
山東 河北	荷澤 東明	東仁村、馬莊、水坑、王姿樓、董莊、三官廟、	黃沙泥地	麥、豆、穀、高粱、玉子、	二十元至五十餘元
山東	定陶- 荷澤	李莊、趙莊、姚莊、堡堂、毛莊、曹樓、前姚莊、胡同、張文鎮莊、孔莊、雙廟、張大樓、吳莊、馬莊、米大廟、崔莊、	淤沙土	豆、麥、穀、高粱、棉花、	六十五元至八十元
山東	荷澤、	杜寺、張堂、李孟油、彭堂、洪堂、徐樓、懷莊、	淤沙土	麥、棉、果品、以柿子爲大宗、	七十元
河北	東明	劉戚、扇莊、馬莊、			
	長垣 東明	姚玉寨、宋莊、李莊、王莊、王沙崗、	黃泥沙帶有沙質較多	麥、玉子、豆、高粱、穀、	十五元至五十元
河北 山東	濮陽 荷澤 荷澤 定陶	彭莊、魏莊、袁蜂里、蕭莊、全堤集、何林後河南、孫莊、劉瑞兩、大路、張蘇淺、	黃淤土	麥、高粱、穀、花生、豆、玉蜀黍、	三十元至七十元
河北	曹縣 東明	官莊、郭莊、蕭莊、金堤集、			

山東	荷澤 曹縣	張湧、何面董苗莊、紙房、趙莊、秦莊、焦莊、 董莊、張莊、大小馮莊、胡集、耿莊、	黃沙	泥地	麥、高粱、豆、穀、玉子、	十五元至六十餘元
河北	東明 長垣	吳陳集、萬家、蘇莊、沙台寺、德章、 三千玉、	同	上	同上	同上
山東	荷澤 定陶	高莊、趙官府莊、大趙莊、家申戶張河、柴莊、孔莊、 曹莊、菜占、	淤	土	豆、麥、穀、高粱、	三十元至六十元
山東	荷澤 曹縣	五里長寨、劉莊寨、朱樓、于莊、堤堂、 林津、祭家、五里長寨、邱莊、	沙	土	麥、棉、	一百元
	荷澤	樊莊、大李家、沈李莊、蔡樓、李本屯、劉莊、裴莊、馬樓、	淤	土	豆、麥、穀、高粱、藥品、	六十元
	荷澤 曹縣	范胡同、張樓、韓莊、范莊、楊花園、孫莊、 曹樓寨、曹樓莊、于莊、傅莊寨、蔡莊、	黃淤	土	麥、高粱、豆、花生、	三十元至五十元
	曹縣 荷澤	苗莊、苗樓、小李莊、郭莊、郭樓、馬莊、呂 焦莊、喬胡同李莊園、車莊、馬集、	淤	土	豆、麥、穀、高粱、	五十五元
	曹縣	韓莊、桐莊、華莊、汪莊、朱莊、丁莊、李莊、	淤	土	同上	五十元
	荷澤 定陶	郭莊寨、翹莊、秦莊、程莊、楊莊、 馬集、周莊、陳莊、	淤	土	同上	五十五元

第十五章　山東河北省　朝城縣濮陽縣　觀城縣　范縣　濮縣　幅

（圖號一一六—三五—三）

第一節　地方概況

本幅圖內各縣村莊均在金堤內外距黃河北岸大堤尚遠圖中有古趙王河橫貫中央爲黃河未改道前之支河（土人稱爲沙河）已多年乾涸現惟實洩夏令雨水而已

金堤在大堤之北自河南滑縣起經河北濮陽山東濮范壽張東阿各縣至陶城埠運河故道止共長一百八十餘公里本圖祇有濮陽至范縣一段

金堤內外村落人民多務農朝城觀城一帶教育落後多數人爲文盲纏足之風尚盛女子大都以編草帽辮協助一家生計觀城之西北部多鹽鹼地故以製小鹽爲生者甚多各縣農村情形大體尚佳惟濮縣小屯村一帶因地瘠民貧兼以曾受水災略遜於其他各縣

自昔黃河故道北趨渤海修築金堤原爲防河南遷惟自何代修築難於確考徵諸史乘濮陽以上或爲戰國時魏國改造東漢王景加培以下則爲王景所修東郡利賴千有餘年迨宋仁宗慶歷八年商胡埽決黃河北去商胡在今濮陽之東以下金堤已遭廢棄金明昌五年大河南徙濮陽以上之金堤亦見棄損清咸豐五年銅瓦廂決口河水於張秋鎮下由大清河金堤之南入海光緒元年魯撫丁寶楨奏修陶城埠上金堤以爲此面之屏障其後河務當局亦間加修築惟冀省則以其距黃河尚遠且有大堤間隔未嘗措意民國二十二年長垣大堤北決水集金堤之南而東趨於陶城埠仍歸本槽以致九百年來廢棄之堤一旦重復着水冀魯當局搶救累月始

告平復二十三年大汛貫台又告潰決其潰水仍集於金堤以流入陶城埠是金堤已漸復其重要性二十四年乃由本會就舊堤分段培修計長一百八十一公里餘培修堤頂高以高出二十二年洪水位一公尺三爲度

第二節　近年水患及被災狀況

二十二年河決河北省長垣縣大車集至石頭莊大堤洪水經過村莊悉遭淹沒圖內山東濮縣之小屯臨黃集丁莊西吳莊等村積水深二公尺餘田廬悉被浸沒損失甚鉅又觀城縣之王堤口馬凌集范縣之後呂樓王亭濮縣之閆莊同智營等村亦經被水房屋間有倒塌災情尚輕此外金堤以南多係窪地每屆夏令陰雨連綿輒有水淹沒田禾之患當地人民甚以爲苦

第三節　土質土產及地價

據調查所得各縣農村之土質土產地價各項依次列表如下以供參閱

黃河地形圖(圖號一一六—三五—三)各縣農村之土質土產地價調查表

省名	縣名	村名	土質	土產	地價(畝)	備考
山東	朝城	前王店、餘糧海、王坊、沙村、韓莊店、五里屯、馬廠、韓樓、遠廟、蔣店、	西北部多鹹地東南部多沙土	豆、麥、穀、高粱、玉米、小鹽、	十元至三十元	上列村名係擇圖中村莊之較大者列入其他從略以下倣此
	觀城	薛屯、小郭家海、東西五口寺、耿王村、琉璃井、北棗、焦村、	黄沙土	麥、豆、穀、高粱、玉黍、	三十元至六十元	
	范縣觀城	道口櫻桃園、雙廟、鄭樓、尚武棗、史樓、	沙壤	麥、豆、高粱、穀、	四十元至六十元	

	觀城 濮縣	張氏樓、保安寨、姜莊、盧莊、劉樓、陳堤口、張台、	黃土多沙	麥、豆、穀、高粱、花生、	三十元至五十元
	濮縣	齊堤口、王堤口、王莊、馬凌集、	黃土	麥、豆、穀、高粱、蕃芋、	三四十元
	觀城 范縣	韓莊、桐莊、復呂樓、呂亭、步莊、			
	濮縣	西池、孫莊、黃家莊、蕭莊、竊莊、東池、王拐、	金堤東多沙土 金堤西爲黃土	麥、豆、穀、高粱、花生、棉花、芋、	二三十元
	觀城	閆莊、同智營、蘇莊、南莊、潘莊、崔莊、			
	濮縣	臨黃集、丁莊、西吳莊、白衣鎮、杏子鋪、錢莊、范莊、蔣莊、十八里鋪、	黃土	豆、麥、高粱、穀、	四十元至四十五元
河北	濮陽	馬寨、這河寨、	黃土	高粱、麥、豆、穀、	二十五元至三十元
山東	濮縣	高堤口、五里鋪、	黃淤土	麥、豆、高粱、	
	濮縣	小屯、	沙土多 淤土少	芝蔴、黃豆、小麥、高粱、	

第十六章　山東省 朝城縣 陽穀縣 鄆城縣 范縣 壽張縣 觀城縣 東平縣 濮縣 幅

（圖號二一六—三五—四）

第一節　河流與堤埝險工

黃河自南來入范縣界偏東北折向北流復折向東又往北流復折向東入陽穀縣界稍偏東北入壽張縣界折而南往東北流入壽張陽穀縣界再偏東北折向正東入下圖此段河勢紆迴曲屈屢遇兜灣其流不暢故其勢湍激且溜勢遷徙靡常河槽無定以致臨河常有坍塌否則亦生頂衝之患范縣高莊臨河一段其河流原在離莊一公里許今則莊之大部已被冲沒壽張縣之黃莊高五口等村黃河東西橫貫沿河村莊歷年多被冲刷入河如圖中趙村迤南本有王莊趙莊東南原有人和寨均已隨溜而去其他如舊范縣村仲堌堆陽穀縣之棘針園等處靡不受大溜影響險象時生

本幅圖內金堤自范縣梁莊至壽張縣黃莊一段爲屏障山東北面大堤金堤迤南地勢低窪平時水走正槽即使漫灘倘民埝未決尚無大害惟在二十二年長垣石頭莊決口潰水奔騰東瀉因就下之勢大溜直逼堤根曾搶築民埝數道如范縣西倉至仲子廟一段長二公里朝城門虎店至竹堤口一段長十一公里壽張之護城堤子埝長四公里也均係臨時搶築以防上游決口潰水至於該堤迤南臨河堤埝尚無護岸工程則極屬危險可虞

北岸除有金堤及金堤內之民埝外其臨河一帶復有民堤及臨黃堤之下首有嚴善人堤大都民修民守以頻受水災當地居民對於堤防尚加注意南岸大堤起自鄆城縣韓莊至陽穀縣許那裏村爲止大堤內沿河近處亦有臨黃堤及民埝多道均蜿蜒隨流修築以防泛濫惟距河甚近每遇盛漲則形勢岌岌輒易發生水患金堤南有金堤河舊名濟河發源於河北省濮陽縣濟河頭沿金堤南而東至陶城埠入黃河二十二年長垣石頭莊以及貫台決口所有潰水均循此道入黃河

自朝城縣金斗營經蓮花池至王堤等處有古沙河道跡（或名趙王河）由吳台至王堤等處有秦皇堤舊址相傳爲秦始皇修築又壽張縣李村營附近多乾河溝據土人云係距今數十年前鄆城縣境八孔橋河決口洪水橫流之故道又該縣于樓村八里灣附近有乾溝一道寬百餘公尺聞亦係黃河故道但均廢棄其年代亦不可確考

第二節 近年水患及被災狀況

本幅圖內各縣村所受水患可分為二部份(一)金堤南北部份(二)附近黃河部份

(一)金堤南北部份　二十二三年洪水所有上游長垣大堤以及貫台決口潰水因濮河不能消納悉集於金堤以南區域平地水深數尺房屋倒塌田禾淹沒即堤北較低之地亦遭波及被災甚重如朝城縣之竹口鎮蓮花池壽張縣之閻莊李莊閘門口高廟范縣之高莊前後台樓觀城縣之大井上劉墩濮縣之新莊柳行頭等村均受損失甚鉅

(二)黃河附近部份　黃河附近受災最重地方亦係受上游決口影響二十四年董莊決口時洪流橫溢沖開民埝水深約六七尺以致淹及鄄城壽張鄆城一帶如賢家集李村營牛村等村以水來過猛居民徒往屋頂或攀登樹上田園一片盡成澤國迨水退後所有地畝悉成荒墟災民無家可歸者甚衆情形至為慘重此外沿河灘地遭受水患亦有重大損失如壽張縣之東西官路孟莊黃莊陽穀縣之沙樓丁樓范縣之舊范縣村等處每當伏秋盛漲水輒上灘漫溢甚且沖決民埝故人民頻遭損失痛苦甚大

第三節　地方概況

朝城縣十二里廟劉莊竹口鎮蓮花池等村人民多務農甚撲素惟教育不普及識字者甚少女子仍纏腳多以編草帽辮為售品由朝城至范縣有公路可通其他各處交通則多不便又壽張縣各村大半在金堤南北及黃河沿岸頻年均受水災惟馬口藍趙莊武口等村如非黃河決口向未受漫溢之患居民以農為業誠實撲素能吃苦耐勞其風氣閉塞仍如朝城民智實屬低落該處有縣道鎮道但皆就原有大車道改修者彎曲太多雖多費土工亦不便行駛汽車至范縣之馬莊梁莊鄆城之牛莊濮縣之胡屯陽穀之後張胡同後趙家等村其農村情形均如上述無其他可記載者

第四節　土質土產及地價

據調查所得各縣農村之土質土產地價各項依次列表如下以供參閱

黃河地形圖（圖號一一六—三五—四）各縣農村之土質土產地價調查表

省名	縣名	村名	土質	土產	地價（畝）	備考
山東	朝城、觀城	柿子園、鄭莊、張大廟、	沙土	麥、高粱、豆、穀、	二十元至五十元	上列村名係擇圖中村莊之較大者列入其他從略以下倣此
	朝城	十二里廟、劉莊、程莊、鍾莊、	南部略帶沙質北部則多鹽鹼	豆、麥、高粱、穀、玉米、梨、杏、草帽辮	十元至四十元	
	朝城、壽張	閻莊、李台、竹池鎮、蓮花池、	金堤南淤泥金堤北泥沙	麥、高粱、豆、小米、	十元至六十元	
	壽張	高廟、八里莊、關門口、武堤口、	黃沙土	麥、豆、高粱、黍、玉蜀黍、	二十元至六十元	
	同上	東西官路、孟莊、索家嶺、屈家嶺、	淤沙兩合土及菸土	麥、豆、高粱、小米、	三十五元	
	壽張、陽穀	黃莊、高五口、聶包樓、張福莊、	黃沙土	麥、穀、豆、高粱、	三十元至八十元	
	朝城、范縣、觀城	大井上、劉墩、高莊、杜樓、十王廟、賈海、	泥沙土	麥、豆、高粱、小米、	四十元	
	范縣、朝城、壽張	北寨、教場、朱樓、五里侯、子路堤、門虎石、	黃沙土	麥、豆、高粱、穀、玉黍、	三十元至六十元	
	壽張	子路堤、四合村、徐家嶺、台村、	沙泥兩合土	麥、豆、高粱、小米、	三十元	
	壽張、陽穀	馬口、藍趙莊、姜廟、米莊、	紅淤土民國二十二年淤高一公寸至三公寸	麥、豆、高粱、	二十元至五十元	

同上	白家崗、張堌堆、委莊、王莊、	膠土及沙土	同上	三十五元	
壽張東平	李樓、馬澇、許岔河、	黃土帶沙	麥、花生、高粱、	三十元	
陽穀莘城	甫莊、董那裏、陳家那裏、	同上	同上	同上	
范縣	馬莊、柄莊、張青營、馬溝、	堤內東部多沙地西部紅淤堤外多沙土	豆、麥、穀、高粱、	十元至六十元	
壽張陽穀范縣	清水河、孟樓、蔣莊、朱沙窩、何莊、張武莊、	沙壤及沙土淤土	麥、豆、穀、高粱、地瓜、	三十元至五十元	
范縣	王耿王莊、胡樓、呂莊、丁大寺、	黃沙土	麥、豆、高粱、玉蜀黍、	二十元至四十元	
壽張陽穀	徐沙窩、楊莊、麻樓、郭莊、	黃土	同上	二十元至五十元	
壽張陽穀	楊家寨、草上、後張胡同、後趙家、	黃泥沙地	豆、高粱、麥、花生、	十元至十六元	
壽張陽穀	梁家崗、岳那裏、姜那裏、雙廟、徐那裏、宋那裏、	淤土	豆、高粱、麥、穀、	三十元至三十五元	
濮縣范縣	新莊、柳行頭、朱莊、祁廠口、	黃土	豆、麥、高粱、	四十元至五十元	
范縣	葛口莊	淤上	豆、麥、高粱、蔴、	三十五元	
同上	舊范縣村、	黃土稍含沙地	麥、豆、高粱、	五元至四十五元	舊范縣村即唐莊宗新軍柵地昔為縣治明洪武庚申黃河決口城圮遷徙

陽穀	棘針園、	地面盡沙土由地面向下深約六七公寸則爲淤土	高粱、黃豆、小米、元豆、	三十元至六十元
壽張	劉尙仁莊、	黃土	麥、豆、高粱、小米、	十元至四十元
同上	筱張樓、	黃土	同上	五元至三十元
濮縣 范縣	朱莊、胡樓、劉莊、北洋寺、	東部黃土西部稍含沙質	麥、豆、穀、花生、高粱、	五六十元
范縣	蔡莊、	淤土	麥、豆、高粱、小米、	四十元至七十元
同上	高莊、	黃土	麥、豆、高粱、小米	三十元
壽張	朱村營、	沙土	高粱、黃豆、	上等二十元中等十五元下等十元
同上	黃家集、	地面淤土厚三四公寸	菽、麥、黃豆、高粱、	十元至二十元
同上	侯家寺、	淤土	豆、麥、高粱、	三十元至四十元
范縣	楊莊集、	沙土	麥、高粱、	十元至二十元
濮縣	胡屯、	淤土	豆、麥、高粱、	四十元
范縣	陸家集、丁莊、	黃土	麥、豆、高粱、	五元至二十五元
同上	仲堌堆、	淤沙參半	麥、高粱、	三十元至三十五元
壽張	于樓村、	黃土	麥、豆、高粱、小米、	五元至四十五元

同上	子房墓莊、	淤土	麥、豆、高粱	三十五元
郭城	牛莊、	高地爲淤性黃土窪者爲淤土	同上	五元至五十元

第十七章 河南河北省滑縣濬陽縣幅

（圖號一一六—三五—六）

第一節 近年水患及被災狀況

二十二年大水長垣大堤石頭莊等處決口次年貫台決口本幅圖內濬陽縣之盧寨沙窩姚莊齊園以及金堤涯東之黃梁莊梁莊三里店願先等村又滑縣之道口王莊小韓于莊等村悉被水災房屋倒塌田禾淹沒又滑縣二區之白道口韓何京李何京等村近二十年來共受水災六次尤以二十三年爲最重.

第二節 地方概況

本幅內滑縣濬陽農村經濟頗稱窮乏民風樸厚尤能耐勞吃苦昔日嘗受匪患今已漸能安居惟交通不便教育亦不普及故文化仍屬低落

第三節 土質土產及地價

據調查所得各縣農村之土質土產地價各項依次列表如下以供參閱

地形圖（圖號一一六——三五——四）各縣農村之土質土產地價調查表

省名	縣名	村名	土質	土產	地價（畝）	備考
河南	滑縣	靳莊、白馬鎮、郭小營、臨河澗、	西北部爲黃土東北部爲純沙南部爲黃土	麥、豆、高粱、玉蜀黍、花生、蕃薯、果品、麥、粟、高粱、玉蜀黍、	黃土十五元至二十五元純沙五元至十五元黃土二十元至三十五元	
	滑縣	曹小吳、張小吳、東劉園、王拐、	西北部土質含鹼東北部土質純沙中部土質含砂	鹼硝、麥、花生、斑、麥、豆、高粱、玉蜀黍、	鹼地五元純沙八元至十五元砂地十元至二十五元	
	滑縣濮陽	曹小吳、郝村、張莊、白屯、	南部黃土北部純沙	麥、豆、高粱、玉蜀黍、穀、蕃薯、花生、	黃土三十元至五十元純砂二十元至三十元	
	濮陽	閻堤、王助集、西郭寨、油房、	黃土西北部含砂	麥、豆、粟、花生、蕃薯、	二十元至六十元	
	滑縣	西嘴頭、後桐村、牡丹街、馮莊、	沙土	麥、豆、穀、高粱、花生、棉花、果蔬、	十五元至二十元	
	滑縣濮陽	梁莊、段莊、西郭村、鐵爐寨、	黃土	麥、豆、穀、高粱、果類、	三十餘元	
	濮陽	赤田寨、大屯、東郭村、西李莊、	堤下黏土堤上黃土	麥、豆、穀、高粱、玉蜀黍、花生、棉花、菜蔬、瓜果	黏土二十餘元黃土三十餘元	

滑縣	自道口、韓何京、李何京、王何京、	大部均膠泥鹽鹻砂地最少	麥、粟、玉蜀黍、高粱、豆、棉、山芋、	分三等約五元十八元二十五元
滑縣	潘張、李寨、史寨、華堤口、	西北部黃土東北部沙土南部黃土	麥、棉、高粱、玉蜀黍、花生、麥、蕃薯、果品、麥、豆、棉、高粱、玉蜀黍、	黃土十五元至二十五元沙土五元至十五元黃土三十元至四十元
濮陽滑縣	土樓頭、丁砦、陳砦、傅莊、	沙土	麥、豆、高粱、穀、花生、	十元至二十元
濮陽	土林頭、新習集、馬凌平、蒲凌平、	黃土	麥、豆、高粱、	二十元
濮陽滑縣	盧寨、沙窩、王道口、王莊、	西部淤土東南淤土東北部黃土	麥、豆、高粱、棉、麥、豆、粟、玉蜀黍、	淤土八元至十五元黃土十五元至二十元
濮陽	姚莊、齊閣、姚寨、高莊、	東南黏土西南沙地北部黃土	麥、豆、花生、高粱、玉蜀黍、穀、	黏土三十元沙地十餘元黃土三十元

第十八章 山東河北省 濮縣濮陽縣 鄄城縣東明縣 幅

（圖號一一六—三五、七）

第一節　河流與堤埝險工

本幅圖內河形灣曲甚多自河由西南來入濮縣鄄城縣界溜向東北卽直射董樓折而東流繞董口爲一大灣復偏東北行轉向正北溜射馮莊毛樓轉而東北復射康屯桑莊又爲一大灣復自東北行又偏西北溜射柳園盛莊折而正東再爲一大灣入下圖以上三處兜灣情形均能發生頂衝坍塌之患且河身狹隘每值盛漲兩堤間卽一片汪洋防守尤感困難

董莊未決口以前此段河槽本極曲屈更由李升屯成一大灣直搏董樓坍塌不已近堤僅五六百公尺險象已呈亟待搶修嗣因董莊決口全河奪溜南下遂暫得苟安迨董莊合龍後雖大部流量分瀉入第四引河但遇盛漲大水漫灘而下復趨董樓侵蝕坍塌益烈逼近北堤不及一百公尺雖經先後搶修磚石各壩形勢猶屬嚴重

康屯一帶河槽亦極曲屈已如上述不特水流不暢且溜逼堤根極易發生危險該處河流上由董口東北流至毛樓折而東至康屯適當大溜直沖之處故險象迭出歲必搶修二十五年曾由魯省府就地征夫挑挖引河嗣以兩岸民衆爭執方向僅得挑挖小引河一道其效頗著以河身過狹施告淤廢

按董樓爲近年北岸新險康屯則係舊險以河身過狹兜灣甚多似非澈底改良河槽不足以導溜歸入中洪使堤岸穩固

第二節　近年水患及被災狀況

圖內附近金堤各縣村莊水災仍受二十二三年河北長垣石頭莊及貫台決口影響當時洪水趨過滑縣沿金堤東行所有附近一帶村莊悉被淹沒計濮陽縣之清河頭鎮河南坡張村杜廟桃園王莊魯家河劉坊程粟林莊後劉莊東八里莊東高城後伯陶楊莊前後草場王梁莊胡家馬寨柳合耿寨耿密城李楡林頭閻家村董樓文闞濮縣之左粟林程粟林閻樓葉莊東明縣飛地曹堂馬樓梁莊馬坊等村均有重大損失但亦有磽瘠之地淤爲佳壤轉能耕種者至附近黃河灘地部分如濮縣之李橋明莊丹朱堌堆徐莊柳園盛莊周橋桑莊王河渠孔集鄄城縣之單屯魚骨寺崔張村李莊濮陽縣之小屯王稱堌堆閻家村董樓等村每年汛期漲水卽漫淹兩岸灘地秋禾屢被淹沒甚有因董莊決口潰水橫溢以致房屋被淹坍塌地畝不能耕種居民大都流離失所情形極苦

第三節　地方概況

本幅圖內各縣農民風樸厚經濟小康土質大半係黃土故均能耕種收穫頗佳如濮縣與濮陽縣交界之閻樓葉莊陸莊等村土地均屬肥沃人民亦稱富足濮陽縣東明縣交界之胡家馬漢董樓等村且甚注意教育每村皆有小學惟傍河灘地因黃河槽無定時東時西故有小康之家驟變赤貧者如濮縣柳園盛莊周樓桑莊鄄城縣軍屯李莊魚骨寺等村每遇伏秋盛漲水即漫灘不惟秋收無望所有能種之地亦悉變淤沙居民苦之

各縣治安尙佳教育除濮陽縣之閻樓葉莊等村外餘均不普及風氣仍屬閉塞間有公路尙無汽車通行濮陽縣之沙河灣爲本會培修金堤起點其西部金堤已成爲沙邱毫無堤形矣又該縣由北關東北起曾掘有小溝一道東北至濮陽縣境專爲排除瑗城一帶兩水之用又該縣繁昌湖之西北部相傳有黃河故道惟其年代頗難確考

濮縣之葵邱俱堆古名會邱即東周時魯襄公十一年冬至及十二年春大會諸侯及齊侯單伯之地又濮陽縣程莊有太子墓相傳係周末齊國太子以無碑記其年代亦不可確考云

第四節　土質土產及地價

據調查所得各縣村之土質土產地價各項依次列表如下以供參閱

黃河地形圖（圖號一一六―三五―七）各縣農村之土質土質地價調查表

省名	縣名	村名	土質	土產	地價(畝)	備考
河北	濮陽	皮王賀、戚城村、馬湖、馬莊、	黃土	麥、高粱、豆、穀、玉蜀黍、	三十餘元	上列村名係擇圖中村莊之較大者列入餘從略以下倣此

	濮陽	清河頭鎮、河南坡、曹五星、管五星、陳莊、	金堤南黃土、金堤北純沙、	麥、蕃薯、豆、粟、花生、	黃土十元至二十五元純沙五元至十五元套堤西二十五元至五十元
	濮陽	龍王廟、十八郎、大白羅、大韓、南昌湖、許家莊、	西北部沙土東部黃土	麥、豆、高粱、花生、穀、	沙土十餘元黃土三十餘元
山東	濮縣	左裴林、程裴林、吉村、吉堂、	黃土	麥、穀、豆、	三十五元
河北 山東	濮陽 濮縣	張村、杜廟、四樓、葉莊、	東部全係黃土西部含有沙土	麥、豆、高粱、花生、蕃芋、穀、	三四十餘元
山東	濮縣	李橋、明莊、丁莊、梁莊、	黃土	穀、麥、豆、山芋、	二十五元至三十元
河北	陽濮	東八里莊、汪寨、魏寨、馬廟、	堤下黏土堤上黃土	麥、豆、穀、高粱、	黏土二十餘元壤土四十元
	濮陽	曹五星、管五星、桃園、王莊、	黃土	麥、高粱、粟、玉蜀黍、豆、	二十元至六十元
	濮陽	魯家河、劉坊、換李家、高莊、	西部黏土東部含沙較多	麥、豆、玉蜀黍、穀、高粱、花生、	四十餘元
	濮陽	程裴林莊、申莊、後劉莊、王成莊、	黃土	麥、高粱、豆、棉、	二十五元至三十元
山東 河北	濮縣 濮陽	劉坑、張莊、許集、沙窩、	東部黃土中部純沙西部土質含沙	麥、豆、高粱、花生、蕃薯、	黃土二十五元純沙十元至十五元含沙十五元至二十元
山東	濮縣	大邢莊、小邢莊、吳孫莊、陳莊、	黏土	麥、豆、穀、高粱、蕃芋、	二十餘元

河北	濮陽	東八里莊、李葛丘、大陳西李子園、	黃土	麥、豆、穀、薯芋、高粱、	四十餘元
	濮陽	東高越、齊王廟、桑園、老王莊、	黃土	麥、豆、粟、玉蜀黍、	三十元至五十餘元
	濮陽	後伯陶、趙樓、姚莊、買莊、	中部黏土東西兩部沙土	麥、豆、穀、高粱、玉蜀黍、花生、	十餘元至二十元
河北	濮陽東明	楊莊、前草場、曹堂、東明飛地、	東南部黃土餘皆含沙	麥、豆、高粱、花生、蕃薯、	十二元至三十元
河北山東	濮陽東明濮縣	劉莊、王樓、姚莊、十五里鋪、姚莊	東北部黃土東西北部含沙	麥、豆、高粱、花生、蕃薯、	黃土二十五元至三十五元含沙八元至十五元
山東	濮縣	周橋、桑莊、張樓、楊屯、	南岸黃土北岸沙地堤外含沙	同上	黃土十元砂地七元至十元堤外二十五元至三十元
河北	濮陽	王寨莊、安寨、十八里堌堆、楊寨、	北部多黏土南部黃土	麥、豆、穀、高粱、	黏土三十元黃土四十元
河北	濮陽東明	胡家馬莊、董樓馬樓、	黃土西南部含沙	麥、豆、粟、高粱、棉、花生、蕃薯、	黃土十五元至四十元含砂十五元至二十五元
	濮陽東明	柳合寨、前寨、堂莊、馬橋、	西南部外多黃土	麥、豆、穀、高粱、玉蜀黍、	三十元至四十元
	濮陽東明	孫密城、耿密城、、曹堂、小屯	灘地及堤外黃土西南部砂土	麥、高粱、豆、花生、	黃土二十五元至四十元砂土十五元至二十元
山東河北	濮縣鄄城濮陽	小耿莊、宋集、軍屯、李莊、小屯、王稱堌	北岸灘地含砂堤外黃土南岸灘地含砂	麥、豆、高粱、	北岸灘地二十五元至三十元南岸灘地十餘元黃土五十餘元

山東	鄄城	殷莊、張莊、劉莊、黃瓜園、	大堤外圈堤內淤土堤內含沙帶淤	麥、高粱、花生、玉蜀黍、豆、穀、油菜、	十元至五十元
河北	濮陽	高鋪、高寨、富寨、馬寨、	黃土	麥、豆、高粱、穀、玉蜀黍、	三四十元
	濮陽	拜將台、王莊朱邱、呂家海、	東部含沙西部純沙	花生、蕃薯、麥、豆、高粱、	東部二十元至三十五元西部十元至二十元
	濮陽	谷家樓、史家樓、辛寨、西劉寨、	黃土	花生、高粱、麥、豆、	二十五元至三十元
山東河北	濮縣濮陽	忠寨、潘寨、劉寨、清河寨、	黃土	高粱、麥、豆、	十元至至二十五元
山東	鄄城濮縣	魚骨寺、李莊、王河渠、范莊、	黃土	高粱、麥、豆、	十元至三十元
山東	鄄城	刁寨、楚莊、許廟、袁莊、	沙土	麥、高粱、豆、玉子、穀、	九元至三十餘元
河北	濮陽	李榆林頭、魏榆林頭、劉榆林頭、	黃土東部沙土	麥、豆、穀、高粱、玉蜀黍、	四十元
	濮陽	陳寨、大埝、霍營、張寨、	沙土	花生、麥、豆、高粱、	十五元至三十元
	濮陽	任吉村、蔡吉村、馬吉村、王吉村、	沙土	花生、麥、豆、高粱、穀、	三十元至四十元
山東河北	濮縣濮陽	寵長治、孫集、閻家村、董樓、	大堤西沙土大堤東黏土	高粱、麥、豆、花生、	十餘元
山東	鄄城	張村、崔張村、謝張村、虎樓、	黃土	麥、豆、穀、高粱、	三十元

鄄城	白菜堌堆、周樓、常莊、前衛莊、	沙土	花生、麥、	十元
鄄城	劉箭莊、馮屯、郝莊、馮莊、	沙淤土	豆、麥、花生、	十五元
鄄城	崔李莊、石莊、高魁莊、樊莊、	沙淤土	豆、麥、穀、高粱、	二十五元

第十九章　山東省鄄城縣鄆城縣 范縣壽張縣 濮縣　幅

（圖號一一六—三五—八）

第一節　河流與堤埝險工

黃河由西來入濮縣鄄城縣界折而南直射姜堌堆蘇門樓偏東此入范縣界流向正東復偏東南直射雙獅李莊朱莊復偏東轉正北如下圖

此段河形仍極曲屈且流勢遷移無定如五年前河身緊近北堤奶奶廟魏屯等處後漸南移以至緊近南堤今則北堤內已完全不復着水而南堤雙獅李朱莊等處遂漸吃緊該處臨河堤埝除臨黃堤以及民埝外復有小埝高約一公尺寬僅八九公寸自此以上鄄城縣亦多縱橫小埝均係附近居民修築用以防止漫溢之水

自朱莊雙獅李迤下黃河曾於十年前在四十五里莊決口後經堵復大溜旋亦北移此處遂成淤灘

其在北岸如高莊魏莊廖橋宋樓等處亦形成側注廖橋曾於民國十一年決口十二年合龍至今險象猶存在汛期內宜注意防護以免發生水患

第二節　近年水患及被狀災況

民國二十四年七月董莊決口橫流四溢鄄城縣之蘇莊王莊鄄城縣城劉莊高莊董店王坊等村田禾多遭淹沒房屋亦被冲塌次年凌汛臨濮集迤北民埝又相繼潰決冰塊帶水由西南向東北推進地面積水深二公尺經七八日始由東北歸入正河當時被災地方有壽張縣之張莊李海吳菜園鄄城縣之梳洗樓王莊邢莊高樓梁集梁莊李家莊楊集鄄城縣之候橋董村趙口宋莊張莊夏莊王莊黃莊李樓杜莊等村

第三節　地方概況

鄄城范縣濮縣近何村落大半隨水流漲落臨時遷移故房屋均甚簡陋間有在汛期內以船爲家俟汛期終了水落歸槽時再架構房屋耕種土地是處農民極爲勤勞從前多往關東墾殖近年漸少年壯者多出外投身行伍或其他苦力工作其生產量之不足可以概見鄄城各村距河略遠土地頗能耕種人民以農爲業亦極勤苦該縣之湯莊龍王集以及鄄城之朱莊鄭莊初級教育尚稱發達其他各縣村學校則寥寥無幾且極幼稚

第四節　土質土產及地價

據調查所得各縣村之土質土產地價各項依次列表如下以供參閱

黃河地形圖（圖號一一六—三五—八）各縣農村之土質土產地價調查表

省名	縣名	村名	土質	土產	地價(畝)	備考

山東

鄄城、范縣、濮縣	姜堌堆、柏樹堆、楊莊、邢、朱樓、焦莊、朱樓、	沙土	麥、高粱、豆、穀、	十餘元
鄆城、范縣	王鴨子莊、雙新李武石莊	近河沙灘純粹黃沙其餘略含膠性黃土	麥、豆、高粱、瓜果、	
鄄城、范縣	山莊、蔣莊、李莊、榮莊、	沙淤夾雜	麥、豆、穀、花生、瓜果、	埝外五六元埝內三十元上下
鄆城、壽張	梳洗樓、邢莊、梁海、姚莊	黃泥沙土	麥、玉子、高粱、豆、穀、	十五元至三十元
鄆城、壽張	王莊、張營、張莊、棗行裏、	淤土	麥、豆、穀、莢梁	三十五元
鄆城	董莊、高樓、張新莊、井屯、	淤土	麥、豆、穀、高粱、	十五元
鄆城	龔莊、玉皇廟、崔莊、吳莊、	黃泥沙地	高粱、麥、玉子、穀、	二十五元至卅元
鄄城、范縣	田樓、馬橋、張莊、	膠泥黃沙	麥、高粱、豆、穀、花生、瓜菜、	五六元至二十元
范縣、鄄城	左營、胡窩、趙莊、呂廟、	大部分沙土	麥、高粱、花生、瓜菓、豆、菜、	五元至四十元
鄄城、鄆城、范縣	朱莊、鄭莊、湯莊、龍王集、王戶莊、	沙淤混合土	麥、高粱、花生、穀、豆、瓜菓、	十元至三四十元
鄆城	高樓、梁集、朱橋、牛莊、	黃泥沙地	麥、玉子、豆、高粱、穀、	十五元至三十元
鄆城	梁莊、李家莊、張莊、同壩	淤土	豆、麥、穀、高粱、	三十元至四十元
鄆城	馬莊、李莊、吳莊、朱屯、	黃泥沙地	豆、麥、高粱、穀、花生、	二十五元至三十元

上列村名係擇圖中村莊之較大者列入其他從略以下倣此

鄄城	趙莊、新莊、高莊、朱莊、	淤土	麥、高粱、	四十元
鄄城	五合村、石黄店、玉皇莊、紅廟、	同上	同上	三十元
鄄城 鄆城 范縣	楊莊、雪堂、杜莊、杜海、張堂、杜樓、	同上	麥、高粱、穀、	三十元
鄆城	劉口、劉莊、馬樓、黄橋、	同上	豆、麥、穀、高粱、	三十元至四十元
鄆城	丁莊、鹿灣、刁莊、馮店、	淤土	豆、麥、穀、高粱、	四十元
鄆城	草廟、王樓、賈店、吳皮口、	黄泥沙地	麥、高粱、豆、紅薯、穀、	二十元至三十元
鄄城	李樓、杜莊、毛莊、春柳堌堆、	沙土帶淤	麥、高粱、穀、蔬菜、瓜果、	十餘元至三十餘元
鄄城	王莊、黄莊、郭莊、吳沙窩、	黄泥沙地	豆、高粱、穀、	十五元至四十元
鄄城 鄆城	殷廟、王海、觀音寺、王海、	同上	豆、高粱、麥、穀、	十元至四十元
鄆城	楊集、朱寨、朱園子、鄭莊、	同上	豆、高粱、麥、穀、玉子、	十元至三十元
鄆城	蘇莊、王莊、郭莊、花園、	淤土	豆、麥、穀、高粱、	四十元
鄆城	鄆城縣城、孟莊、王莊、	同上	豆、麥、高粱、	一百元
鄆城	劉莊、高莊、七里鋪、宋莊、	淤沙土	豆、麥、穀、高、粱、	一百元

鄄城	菫村、劉田莊、鉄官廟、孫店、	黃泥沙地	麥、紅薯、豆、高粱、穀、		十五元至三十元
鄄城	候橋、高後涯、韓橋、王莊、	黃泥沙地	豆、麥、高粱、		二十元至三十元
鄆城 鄄城	吳堂、龔莊、孟莊、候胡同、	大部份沙土	麥、花生、穀、高粱、		二十元至三十元
鄆城	菫店、王坊子、劉花園、李河口、	淤沙土	豆、麥、穀、高粱、		六十元
鄆城	申廠、王沙澇、菫廠、張莊、	淤土	同	上	八十元
鄄城	趙口、宋莊、蘇屯、韓莊、	淤土	同	上	三十元
鄄城	張莊、夏莊、信義集、汴莊、	淤土	同	上	四十元
鄄城	菫莊、鄭營、于莊、楊胡莊、	沙淤土	同	上	十五元
鄄城	候樓、馮莊、高莊紀莊、	沙淤土	同	上	三十五元
鄄城	土車子、劉莊、康莊、呂莊、	淤土	同	上	四十元

第二十章　河南
河北省　滑縣
東明縣　長垣縣　濮陽縣　幅

（圖號一一六—三五—一〇）

第一節　河流與堤埝險工

黃河由南來入東明長垣縣界偏東北入東明滑縣界流向東南轉向正北入濮陽縣界復稍偏東北入下圖

河自銅瓦廂改道後即經行此道迄今未改惟由舊城至濬集一帶河身仍屬曲屈自濬集迤下河身較直但在東明縣之灰池紅門滑縣之大周莊新樓長垣縣之小周莊戶固一帶每值伏秋盛漲水即溢出河槽漫溢至北岸大堤之根勢頗危險

滑縣老安堤原爲民修民守近二年來情勢險惡始改爲官修官守該堤本係平工僅有串溝一道惟因近二年來河北兩次決口河床驟見增高水流不暢漫水可達大堤故遇洪水頓成險工二十四年大水該處堤頂僅高出洪水位一公尺半而各壩多被淹沒沖毀現已一律加培挑溜外移俾堤身穩固

第二節　近年水患及被災狀況

二十二年大水河北省長垣縣大堤石車段黃河決口次年貫台決口所有潰水悉往東行經長垣滑縣濮陽沿金堤至陶城埠入本管本幅圖內長垣縣之方里集黃二村雷店滑縣之丁欒集伏秋店小吳村前後吳莊劉沙丘板城楊板城西黃莊邵大台陳大台北壽邱濮陽縣之前雙廟何濬海通集何家韓村等村悉被水災田廬淹沒無算居民流離失所者甚衆其在黃河南北大堤內灘地如長垣縣之紙房武邱集舊城東明縣之濬集韓寨灰池紅門滑縣之大周莊新高莊濮陽縣之大狼口劉家李家牛莊等村亦連年被黃水淹沒損失甚重

第三節　地方概況

圖內各縣村莊大半爲豫冀兩省及數縣交界處盜匪出沒無常搶刼之事時有所聞居民多業農民風樸厚惟灘地既易被淹而

堤北又多係碱地故產量不豐農村頗陷於貧困

第四節　土質土產及地價

據調查所得各縣農村之土質土產地價各項依次列表如下以供參閱

黃河地形圖（圖號一一六—三五—一〇）各縣農村之土質土產地價調查表

省名	縣名	村名	土質	土產	地價（畝）	備考
河南	滑縣	賈金德、陸金德、北齊邱、南齊邱、趙莊、甘露、				
河北	濮陽	前雙廟、何潯、海通集、耿呂邱、陳呂邱、王呂邱、	黃土	麥、豆、高粱、	三十元至四十元	上列村名係擇圖中村莊之較大者列入其他從略以下做此
河南 河北	滑縣 濮陽	何家、韓林、張寨、朱樓、李莊、劉莊、邵大召、陳大召、趙莊、張莊、北楊莊、	黃土	麥、豆、高粱、	二十元至二十五元	
河南	滑縣	板城、楊板城、陳板城、韓板城、西黃莊寨、東黃莊寨、苗我寨、	地多黃壤土宜於種植	穀、豆、麥、高粱、	十餘元	
河北 河南	濮陽 東明 滑縣	大狠口、劉家、李家、韓樓、王莊、瓦公西集、劉閔城、曹閔城、前小渠、後小渠、	堤南含沙堤北含碱西北部黃土		灘地四元至五元堤北五元至十五元	
河南	滑縣	小吳村、前吳莊、後吳莊、劉沙邱、大沙邱、楊沙邱、曹沙邱、	東部多沙土西部黃土	麥、豆、穀、高粱、	十餘元	

河北	長垣	小周莊、戶固、遼小莊、後師家、灰池、	堤內沿堤一帶含沙	麥爲大宗豆及高粱次之	堤內三元至五元
河南	東明 滑縣	紅門、大周莊、新樓、萬莊、馬玫、聚村、	堤外黃土西北部含沙		堤外十元至十六元西北部八元至十六元
河北	東明	中紙房、後房紙、十寨、	含沙灘地每年被水	麥、豆、高粱、	三元至十七元
	濮陽	豬子頭、勾寨、小西角集、			
河南	滑縣	東鮑寨、濮陽飛地、			
河南 河北	滑縣 長垣	丁欒集、浮秋店、馬盤營、董家營、方里集、郭寨、黃二村、甾店、翟寨、	東半沙土西半黃土	麥、豆、高粱、	十元至二十元
河南 河北	滑縣 長垣 東明	東靑城、盒子上、武邱集、西柳塚、東柳舊城、東楡林頭、武邱集、前史莊、邵集、	堤東沙土堤西黃土	麥、豆、高粱、花生、	十元至二十元
河北	東明 長垣	滑寨、陸來、老堡城、白寨、韓寨、柿園、胡口、買莊、舊城、	黃土	麥、豆、高粱、	十元至三十元

第二十一章 山東河北省 菏澤縣 濮陽縣 濮縣 東明縣 鄄城縣 幅

（圖號一一六—三五—一一）

黃河地形圖圖誌

第一節　河流與堤埝險工

黃河偏東北轉正東入河北省東明縣山東省濮縣界經高村轉正北稍偏東南直射冷寨入河北省濮陽縣界復由東北轉正北溜射北壩頭即濮工合龍處折向正東經習城集斜向東南溜射劉莊朱口轉東北入山東荷澤縣界折而東溜射大高寨偏東北側注董莊並直趨李升屯改向正北入下圖

本幅內河形極紆迴曲屈溜勢湍急故兩岸工段時形吃緊新舊險工頗多除平常險工外其最險要者計有冀省之冷寨劉莊北壩頭魯省之朱口大高寨李升屯董莊等處

冷寨　冷寨爲新險工在河北省東明縣南岸第三四工巡段交界處因河形由正北偏東南流故於每年伏秋盛漲時有頂衝之患該處背河地形窪下灘內土質鬆散大溜稍形內向即有逼近堤根可能且堤身土質惡劣如經淘刷勢難抵禦又該處坐灣日漸上提殆因所築各壩角度太大尤以坐灣居首之壩未克導溜緩衝遂致迴溜淘刷提高坐灣是應迅速防護以善其後本會二十六年修防工程計劃曾擬在坐灣轉角處添修順水石壩兩處俾資補救

劉莊及朱口　該處地當冀魯交界上自六壩下至朱口大溜頂衝迴環不已水勢無論大小水位無論高低河溜直衝終年不移堤後地勢低窪每經一次大雨即月餘不乾故取土尤感困難此處昔爲巨險迄今不變民十四年伏秋汛期劉莊河形竟改成垂直頂衝其險可知本會二十六年修防工程計劃以朱口埽壩幸於民國二十五年在其下游改修石壩三道上游添修順水石壩一道挑溜歸入中泓朱口一帶賴以安全收效極著但第二石壩上首尙有邊溜迴溜淘刷似應改築長二百公尺護沿石壩一道以善其後又劉莊一帶埽壩土質甚劣伏秋汛期彼修此蟄險象環生每年修防窮於應付擬將原有埽壩改爲順水耳形石壩六道使耳端伸長互相啣接聯爲一氣其效必同朱口石壩工程

北壩頭　北壩頭屬於河北省濮陽縣北岸第三工巡段即濮工合龍處大溜頂衝河勢與堤壩成丁字形壩後地勢窪下背濮工

合龍處留有深大潭坑最深處達十一公尺埽頭樹木稀少自經石車段決口各埽年久失修埽根漸腐已不足抵禦洪流本會二十六年修防工程計劃擬將四十號壩改築順水耳形第三石壩並於上首築耳形第一第二石壩又於第五十壩及前後共築石垛三道並由北四段改築順水石壩一道耳垛之間則連以石坡護沿如是則該處堤防似可一勞永逸不致時生險患

大高寨　大高寨屬於山東省菏澤縣南岸南一分段防一汛自二十五年入秋以後因對岸坍塌成灣河流轉向南岸迴環衝擊僅兩月間冲陷灘地約長一公里寬二百公尺水距大堤不及百公尺而坐灣上提日坍日遠將有入袖難返之勢倘值大汛危險必隨之發生此段河槽於董莊未決口以前已極曲屈更由李升屯成一大灣直搏董樓所有董樓險工情形已於前章詳述本會二十六年修防工程計劃擬在此段內挖引河道一由閻樓對岸穿連山寺遥達第四引河姜莊爲止計長七公里底寬六十公尺河坡一比二平均深度三公尺下口北角自河心起點約五百五十公尺處右修鎮壩一道左修鎮壩二道以範河槽堤距寬一千五百公尺用輕便鐵軌運引河廢土修築兩旁新堤如是則河流直注第四引得不但大高寨董樓危險可除且董莊一帶故道將淤爲平地矣

李升屯　李升屯民埝屬於山東省南一分段防一汛臨河坐灣大溜常頂衝下首各壩背河低窪微有積水民十四年曾決口一次十五年堵合此處至黄花寺民埝計長約八十公里爲黄河臨水南堤向由民修民守惟殘損不堪隱患堪虞本會二十六年修防工程計劃擬將此段民埝改爲大堤頂寬十公尺第一步擬先修該堤平均加高一公尺頂寬八公尺臨河坦坡一比二、五背河一比三灣曲之處設法改善取直並於堤旁内外廣種樹木以爲障護

董莊　董莊屬于山東省南一分段防一汛昔日大溜緊靠江蘇壩而行但經壩身挑溜北移勢頗緩和此處原非巨險因二十四年七月十日黄河曾在此處冲開民埝潰決大堤六處全河奪溜幾成改道之局幸施工迅捷未逾次年桃汛即慶合龍其經過情形以及堵築各項工程自與河流有密切關係當另節詳述俾關心河防者有所參酌焉

第二節　董工紀要

一、董莊決口之經過　民國二十四年七月十日黃河伏汛驟漲全河流量超過一萬四千秒立方公尺漫越董莊民埝直趨山東南岸第一分段大堤遂先後潰決口門六處計第一口門長一百十三公尺第二口門長一百二十公尺第三口門長一百十二公尺第四至第六合爲一口門共長二千四百公尺大溜趨向最東一段約長七百餘公尺考決口原因約爲一、董莊迤下河形灣曲過甚洩水不能通暢二、民國十四年李升屯決口堵合後僅修有挑溜之江蘇壩十道而於該壩至李升屯間未能加修防護工程三、自民二十二年以來連年決口下游河床淤墊甚多本年大水驟至不及刷深遂致漫決建瓴南下汎濫及於魯西蘇北皖東數十縣人民悉罹昏墊爲近數十年未有之災幸蒙　行政院院長孔公軫念民瘼以復堤救災必須統一事權乃籌撥巨款督導興工堵口大工早慶合龍未誤春耕國利民福實深利賴

二、董莊堵口施工計劃　董莊決口後施工頗感困難經本會孔委員長數度親往勘察策劃並擬定堵築辦法建議于魯省堵口會議經一致通過乃確定堵口原則

(1)在江蘇壩附近擇定地點築挑水壩以衝刷對面新淤灘地

(2)在姜莊民埝外灘地上挑挖引河

(3)自江蘇壩起沿灘地作土壩及鑲沿至相地點爲堵口西壩基另於李升屯民埝南段作東壩基兩面進行堵口合龍

根據上述原則復察度水勢變化及實測情形乃擬定具體施工計劃如下

(1)鞏固李升屯殘埝並裹頭用柳石盤築作東壩基之掩護壩以爲修築東壩基生根之處

(2)培修江蘇壩十道及圈堤並於第一第二兩壩間修築新壩二道第二第三及第三第四兩壩間各加一道以資鞏固

(3)趕修江蘇第十壩用柳石拋護延長迎溜修築壩頭拋石鞏固俾伸入水中以期挑溜北移趨入老河

(4)建築新壩由江蘇壩起點至相當地點作爲西壩基生根之處

(5)添築延長挑水壩四道就新堤生根以便承接江蘇壩挑溜之力挑水北移

（6）挑挖李升屯北大引河暨老槽內引河截灣取直使水最有相當之出路挽回口門溜水及減輕堵口之困難兼改良河道使河流順軌

（7）進占合龍由東西兩壩用稭料捆廂壓土進占前以柳箔包石坦坡護沿後以大土戧後進至相當距離卽採取馮樓貫台兩次堵口有效辦法以柳石聚核枕堵合之

按董莊堵口工程初由山東省堵口委員會負責辦理興工不久改由本會主辦所有各項工程計劃均由本會孔委員長躬親妥愼擬定對于堵塞口門辦法當時有主張由兩壩頭出占進築水工約長九百公尺至頂溜之一百公尺處先打排椿修成便橋卽行拋塡磚石土包各項以殺大流再於橋後修邊壩並澆土櫃後戧以遠閉氣者惟打椿堵口辦法於黄河最不適宜其理由一、如水深至五六丈以上卽無法施工二、黄河之底多沙木樁打入後經流水之激動不能穩固前人每多失敗故酌予變更改用上例（7）計劃堵合之

三、董莊堵口工程實施次序　堵口工程計劃旣經確定依其工程性質之緩急時間之支配員工之調遣以及材料運輸各項均須統籌兼顧次第興工玆分述如次

（A）培修工程

（1）江蘇壩圈堤　江蘇壩圈堤係保障壩基後方之設備計長一千五百公尺培修至頂高六十公尺（大沽零點爲標準以下與高類此）但於一千三百公尺處則漸降低至與新堤啣接頂寬十公尺兩旁坦坡爲一比三於二十五年一月二十日竣工

（2）江蘇壩壩基　江蘇壩壩基原爲十道係挑溜掩護李升屯民埝之用除培修拋護外並於第一二兩壩基間增築新壩二道第二三兩壩基間及第三四兩壩基間增築新壩各一道使其聯成一氣計新一壩長六十五公尺新二壩長五十三公尺新三壩長六十三公尺新四壩長五十七公尺均高爲五八、五公尺各寬七公尺坡度一比二・五均廂埽護

頭完固

(3)李升屯民埝　李升屯民埝及其裹頭爲東壩進占及各壩生根之基礎培修至蘇司莊爲止長七百八十六公尺平均寬十六至三十二公尺眞高五十八公尺八公寸坦坡一比二、五于二十五年一月十日竣工

(B)挑溜工程

(1)江蘇壩第十壩　江蘇壩第十壩原定長二百三十八公尺眞高五十九公尺頂寬七公尺兩旁坦坡一比二・五接辦後因其頂衝大溜水深十餘公尺故特別注重即施以柳簾磚石相間柳泥重叠拋築極力延長三十公尺伸入水中使其迎挑大溜奔趨東北方面藉以冲刷對面新淤灘嘴搭口工程得以進行順利得力此壩實多

(2)新堤　江蘇壩雖已延長但前方力量尚嫌單薄不足與後方相呼應非增加發展挑溜力量不可惟下游大堤已潰央數段距壩又遠堤前則一片灘地故根據原則第三項自江蘇壩第十壩起沿灘地建築新堤一道計長一千八百公尺眞高五十九公尺五公寸寬十五公尺內外坦坡一比三後又延長二百二十公尺共長二千零二十公尺此新堤不但爲各新挑水壩壩擋根脚亦且爲西壩進占之基礎于二十五年二月二十六日竣工

(3)挑水壩　挑水壩就新堤生根共計四道第一挑水壩計長二百三十八公尺第二挑水壩計長二百八十公尺第三挑水壩計長三百九十一公尺第四挑水壩計長四百八十六公尺各壩前段爲稭埽後段爲土身眞高五十八公尺五公寸頂寬十公尺兩旁坦坡一比三壩端裹頭拋護磚石前後新蓓各壩鱗次櫛比首尾呼應足以掩護口門挑溜北向

(4)盤壩　李升屯民埝因受江蘇壩第十壩挑溜之影響河流頂衝勢難抵禦故于埝頭前面添築柳石盤壩以下約每百公尺鑲盤壩一座合計四座均係用柳箔鋪底打樁然後塡拋磚石築成第一壩曾坍塌蟄陷數次屢經拋護始漸穩定又土壩兩道即第五第六壩壩頭均拋護亂石以資鞏固

(C)引河工程

（1）第一引河長一百六十六公尺六公寸均寬十六公尺深一公尺五公寸于二十五年一月十四日開放

（2）第二引河長四百三十四公尺七公寸底寬五公尺河口寬二十五公尺深二公尺于二十五年三月廿日開放

（3）第三引河長一千零四十公尺底寬十五公尺河口寬四十三公尺平均深二公尺七公寸于二十五年三月廿日開放

（4）第四引河為以上各引河之尾閭長五千三百八十三公尺底寬十五公尺河口寬四十五公尺深三公尺二十五年三月二十日開放

（5）第五引河長二百五十四公尺底寬八公尺河口寬十六公尺深二公尺于二十五年三月十九日開放

（6）第六引河長一百六十五公尺底寬五公尺深一公尺五公寸河口寬十一公尺于二十五年三月十九日開放

按以上第一第二第三第五第六各引河均在江蘇壩對岸淺灘因受改道之影響老河口角日漸伸淤成爲灘嘴幾有將老河口閉塞之勢堵口計劃已將江蘇壩延長並在新築大堤上建挑水壩四道承接江蘇壩挑溜之力挑水北移今若不將灘嘴裁去水勢必順北岸流行直搏李升屯危及東壩但此灘嘴土方甚大全部挖去殊不經濟故並行開挖引河數道其中第一引河開挖最早所費不過三百數十元開放未幾即將老河冲成極大之喇叭口得以維持將絕未絕之流量此河得力最多迨口門逐漸縮小僅餘三十九公尺五公寸適值水位略高至四十五公尺有半首將第五第六兩引河開放過水甚暢口門潰水因之減輕而大河流量得江蘇壩延長及四挑水壩之排力直向第三引河奔注遂一併開放第四引河上承第一第二第三第五第六各引河之水且與第三引河聯成一線河頭土壩以被水力風勢壓迫突然塌陷水流奔騰下注老河此各引河間之關係及其開放情形也蓋引河與挑水壩本有密切互助之作用水溜不挑無以遏制口門之直瀉溜向雖挑而老河淤塞水無出路門仍受壓迫且有堵而復決之虞第一二三五六等引河故爲吸引河流歸入第四引河之前導而第四引河又爲吸引河流復歸老槽之先鋒兼有裁老河十五公里大灣之功用實使正河上游之水遠避口門直越老槽之崔一正軌矧自引河全部暢通後非但签底抽薪可以減少口門潰水于堵合成功助力甚大且裁灣取直河流順適設使老槽迫而再淤則收截灣之效老河過水通暢則工尾匯流之後即收以水頂水改頂溜爲順溜可免除堤岸衝擊危險

之廣直一舉而兼數效實于改善河道根本計劃中亦可有相當之成功焉

（D）進占工程

（1）西埽　西埽由新堤終點生根自此起點至李升屯裏頭終點爲止（卽東埽起點）計長八百三十四公尺于一月一日起打凍挖槽共做旱占十二占均用稭料捆廂壓土前進俟廂埽深入土中擠出爛泥出槽後再于臨河方面以柳箔包實塊石成坡護沿背後方面以大土戧跟如是正埽處于石坡後戧之中節節前進以至啣接水占之處第十三占則於水中用捆廂船進占水最深處爲七公尺六公寸坦坡後戧仍隨占跟進先後共進三十一占長六百五十三公尺由第一占至第十四占寬十六公尺七公寸由第十五占至三十一占寬二十公尺與高五十八公尺八公寸進占至此爲止于三月十九日完工並于二十八占處加做邊埽寬十四公尺做法用料與正埽同中留土櫃後戧于邊埽後方跟進土櫃中閻填實淤土卽爲合龍後閉氣之工程

（2）東埽　東埽由李升屯民埝南端裏頭爲起點適在大溜頂衝之處進占較難于二月十六興工共進九占計長一百四十一公尺五公寸與高五十八公尺八公寸寬十六公尺七公寸所有占廂入水最深者九公尺六公寸（壓入河底土中者尚未計在內西埽亦同）後戧及石坦坡亦同時進行其邊埽及土櫃則自第一占開始接做仍隨占跟進石坦坡之做法雖同西埽但因水深之故鋪墊散柳較多必須用船懸掛柳箔沉拋壘成凡東埽進占以及各工自較西埽爲難幸有李升屯第一埽掩護故進占之穩固不亞西埽進一占卽得一占雖經兩次凌水漲水位抬高之激蕩未稍蟄動、而石坦坡之能節節跟進維護亦深資得力焉

（E）堵合工程

（1）合龍工程　合龍工程由東西兩埽進占至相距三十九公尺五公寸時各埽埽頭盤裹堅實後卽于三月十九日開始拋沉柳石枕枕徑約七公寸長約十四公尺以柳把包石用粗繩困把中穿大蔴繩外紮鉛絲縋掛于一端緊繫于埽脚

然後推枕從埽頭平勻沉下以是逐層進堵凡在兩埽有出水面者即以柳石捆廂沿國木樁柳把以柳石逐層加高平與埽齊是時口門縮小河底刷深水位抬高水深達十二公尺晝夜猛進深度迄未大減或以河底過深柳石枕沉下易于走動故以木船一艘上壓柳石下沉舖底未沉船前水深十公尺既沉船後水深僅七公尺復經一日夜之不停趕拋柳石枕遂于三月二十七日下午五時四十五分得慶合龍當即以散柳塊石平舖於合龍處然後以麻包（內實淤土）加高其上同時再以蒲包蔴包維護於金門臨河方面並加拋塊石做成坦坡使其基礎堅固而後已

（2）閉氣工程　閉氣工程當先完成邊埽同時於東西埽兩端未完之土櫃分頭填實淤土俟到合龍處中間約十公尺時一鼓作氣以黄料蒲包拋滿填固繼以淤土蓋頂逐層打實至與邊埽齊高使其力量勝過透水分量之比重即可壓制其滲水本工程因邊埽水深進占略費時日邊埽合龍係用蓆法龍衣沉料堵合至四月六日晨二時方告閉氣完成斷流工作

（F）月堤工程

（1）月堤土工　月堤即係合龍大埽後養水盆之圈堤爲防護大堤滲水堅固後方之工程養水期間倘大埽遇有滲水不致延長流力吸引水量故任其儲水盆中養至水位與埽內水位齊高之時水盆一律滲水即可停止並利用兩方水量平均抗力使大埽間無隙可乘即有微隙不論大小皆可天然淤塞計土堤長一千六百二十五公尺頂寬一律十公尺（埽工護沿在外）眞高五十六公尺五公寸內外坦坡一比二、五（但有埽工者即係後戧僅有外坡而已）於四月二日興工十二日竣工

（2）月堤埽工　月堤西端由西埽後戧起點沿河岸計長四百公尺其東端沿河至東埽後戧止計長二百四十九公尺全係土工其餘中間由四百公尺起至一千三百七十六公尺止即係在前潰水河身之中加做稭料埽廂寬六公尺六公寸用掤騎馬樁結以雙繩捆紮每坯高約一公尺上壓花土一公尺三坯到頂上頂壓土僅七公寸即至眞高五十六公尺

五公寸因發水試中時有風浪冲刷非有稭料護沿不足以資維護於四月一日興工十一日竣工

(G)護沿工程

(1)西段護沿　西段護沿由江蘇壩第十壩根起沿新堤臨河坦坡至西壩第一占起點爲止(即新堤終點)其做法均沿坡挖槽前後打樁形成三星式間有挑水壩四座則前後皆做護沿分接於新堤交叉處縱排距離一公尺橫排距離二公尺臨河樁後用柳把紮成羅筐高與頂齊中實稭料前後均以鉛絲緊緊堅固不能動搖然後再以大土壓於稭料之上其長短按照原長於四月七日興工十五日完工

(2)東段護沿　東段護沿由李升屯第四盤壩起至姜莊土堤爲止原爲臨河料路寬不及一公尺因其處于大溜轉灣歸入老河所經頂衝之地故將此料路改爲外埝培寬三公尺四公寸內坡一比二、五臨河方面加做護沿於每公尺距離打一柳樁內實大柳把徑約五寸並以鉛絲繫固高與埝平即填高五十六公尺五公寸此可爲李升屯民埝臨時一保障計長六百一十公尺於四月五日興工十二日竣工

(H)善後工程

(1)臨濮大堤　堵口工作係於臨河施工而在其後方之山東大堤臨濮段計長四千八百七十公尺亦必修復完整故於合龍後即依次興工已一律告竣

(2)朱䕫大堤　培修山東大堤朱䕫段由䕫莊起至朱口止計長一萬四千三百十一公尺堤身坍塌殊甚危險異常於伏汛前培修高厚以臻鞏固

(3)李升屯民埝　培修李升屯民埝及建築退埝由合龍處東北首蘇莊南接李升屯民埝另修退埝一道經韓莊穿殘埝又由新堤退埝北端起至陳莊止培修民埝一段以固後防

(4)鞏固工程　各挑水壩頭並須加用柳石拋護正壩新堤及月堤等亦擬包淤並各加堆土牛以資維護

(5)冷寨大堤　河北南堤冷寨段由黄莊至白廟約長十公里亦酌量情形加以修培

(6)其他險工酌修扶水埽如朱口冷寨及南岸之串溝尤須培裁以策萬全

四、堵工主要料物之籌備　查各項堵口主要料物計分石料稭料柳枝黄料蔴袋鉛絲蓆蔴青磚等均係依照工程計劃估計數量分別採購儲存備用其採購地點及運輸方法恆以料物來源之不同而酌爲支配玆分述如下

(1)稭料柳枝係交由曹縣東明定陶考城蘭封鉅野鄄城濮陽長垣菏澤城武朝城范縣濮縣鄆城滑縣等縣分別代購運送到工稭料每萬斤堆成一垛經廠驗收後隨收隨發料價柳枝則過秤後隨收隨即發價其工地臨時所收物料亦同樣辦理

(2)石料由隴海路徐州之大湖山及平漢路和尚橋之陘山潞王墳等處向路局採購分由隴海平漢津浦膠濟北甯等路調撥專運堵口料物之模貨等車裝運至隴海路蘭封及羅王兩站由本處運輸處轉運站卸載後改由輕便鉄軌運至東堵頭等處河口交由附設之船舶管理所再用船隻運送工地計先後征僱船舶共六百六十四隻

(3)黄料柳楮青磚係由商人承包運送工地隨收隨發料價

(4)蔴袋原係前任移來尚不敷用因合龍及閉氣工作需用甚多復由蘭封縣署將貫台堵口工程所餘託縣保管之蔴袋二萬五千條亦運到工又向上海定購八萬條趕運濟急鉛絲亦係由滬採辦均交由京滬津浦隴海等路轉運蘭封車站再由輕便鉄軌運至河口裝船運送工地

(5)蓆蔴由濟南開封等處採購後用船車分載來工尚有一部分係購至當地料商前項料物到工經材料處會同購料視察兩處驗收後分由各廠派員負責保管計分東西新四廠並派有廠夫晝夜輪流看守復由材料處隨時派員前往點驗工地需用料物時由工程處隨時開具領單由各廠主管人員查核照數發給每日收支料物數量均分別詳細造表報處彙轉用昭核實

第三節　近年水患及被災狀況

二十四年七月十日黃河伏汛驟漲洪流漫過鄄城縣董莊民埝直趨山東南岸第一分段大堤遂先後潰決口門六處所有附近各村如臨濮集董莊樓子莊崔莊趙莊李莊李升屯等村因地近口門田地廬舍悉遭沖沒平地淤沙有一公尺至三公尺以上者居民逃避四方情形極慘又東明縣于二十二年因土地長決口平地水深約二公尺如王寨溫寨五里鋪馬集雙谷堆賀莊前賀莊均被災甚重此外該縣及濮陽菏澤縣之臨河灘地每年亦被水淹尤以二十四年爲奇重以致連年未能收獲生計困難當地人民甚有因餓而搶奪糧食者

第四節　地方概況

臨濮集董莊樓子莊等村原爲鄄城縣最富庶之區土地肥沃出產豐富尤以臨濮集爲該縣糧食集散場所繁榮爲鄄城之冠二十四年董莊決口受災慘重一部分居民已逃往他縣迄今尚未歸來東明縣之翟莊胡樓王寨汪寨馬渠雙谷堆賈廬各村民風樸厚堅苦耐勞農村情形尚稱小康惟該縣以及濮陽菏澤等縣臨河灘地因連年被災較爲貧苦耳

東明縣有古漆園並有莊周墓及其祠堂聞莊寨尚有莊周後裔該處距冷寨險工甚近二十四年伏汛曾一度喫緊幸搶護得力未致出險

第五節　土質土產及地價

據調查所得各縣農村之土質土產地價各項依次列表如下以供參閱

黃河地形圖(圖號一一六—三四—一)各縣農村土質土產地價調查表

省名	縣名	村名	土質	土產	地價(畝)	備攷
河北	濮陽	陳小邱、宋小邱、柳瀆、衝寨、後康莊、康莊、喬鎮城、許鎮城、	東半多黃土西半多沙土	麥、高梁、花生、豆、	東半三十元至三十五元西半十五元至二十元	上列村名係擇圖中村莊之較大者列入其他從略以下仿此
河北	濮陽	朱寨、梁大郭、李大郭、白邱集、馬白邱、西丁寨、東丁寨、	地多砂土間有鹹土	麥、豆、高梁、花生等並可製硝鹽	十元	
山東	菏澤	小甘露				
河北	濮陽	長樂亭、劉寨、吳寨、青寨、吳莊、晁樓、董樓、連莊、	東部及南部黃土西部沙土居多	麥、豆、穀、高梁、花生、	十餘元	
河北	濮陽 東明	馬李集、後寨、張莊、王莊、火神廟、晁莊、王升屯、	黃膠土	麥、豆、高梁、芋、	十元	
河北 山東	濮陽 濮縣 鄄城	李樓、馬樓、李升屯、舡堌堆、臨濮集、董莊、樓子莊、陳莊、崔莊、趙莊、李莊、	沙土	麥、高梁、豆、穀、瓜、	董莊未決口前七八十元決口後僅二十元	
山東	鄄城	白衣集、孫莊、清水潭、董集、小于莊、張莊、蘇華廟、趙莊、胡窰、	大部沙土	豆、麥、高梁、	六元至十五元	
河北	濮陽	甘呂邱、劉呂邱、杜鎮城、殷鎮城、商鎮城、喬鎮成、曹鎮成、後牛莊、	堤外含砂	麥、大豆、花生、高梁、	二十五元至二十八元	
河北	濮陽	魏司馬、西宋寨、高寨、道仙村、陳屯、馬屯、趙屯、馬屯、東馬屯、塌頭鎮	灘地含砂堤外土質亦多砂	麥、豆、高梁、花生、	二十五元至二十八元	

山東 河北	菏澤 東明 濮陽	甘露集、雷樓、胡寨、康寨、侯寨、薛樓、萬莊戶、張莊戶、召莊戶、徐寨、李拐、郭寨、封寨、	北岸灘地含砂 南岸灘地純砂	麥、豆、高粱、	北岸三元至八元 南岸四五元
山東	鄄城 菏澤	崔樓、孫莊、賈莊、大閘口、小閘口、劉莊、吳樓、安莊、王劉莊、	灘地多砂 堤外微含砂	堤外以高粱出產最多麥豆蕃次之灘地以麥爲大宗高粱次之	灘地五六元堤外十五元至二十元
河北	濮陽 東明 飛地	鑑寨、魏寨、張樓、閻樓、大高寨、小高寨、大劉屯、	同上	同上	同上
河北 山東	濮陽 菏澤 鄄城	曹莊、桑堂、樓子莊、孫寨、孫莊、石莊、沒堂、沒鋸、	董莊未決口前均膠淤土決口後有變全淤土者有變膠土與沙相混者	麥、高粱、豆、穀、瓜果、	董莊未決口前七八十元決口後僅值十十元
山東	鄄城	康馮店、朱三寺、海棠店、許沙窩、孫沙窩、朱樓、黃口、魏莊	大部沙土	豆、麥、高粱、花生	五元至十五元
河北	東明 濮陽	大甕河、李青莊、前柿子園、後柿子園、王辛寨、南湖、王蒼後、靄村、趙莊、葉莊、	黃土	麥、豆、穀、高粱、花生、	十餘元
河北	東明 濮陽	前後米西屯、前後單樓、榮園集、張寨、常寨、冷寨、橋口、祥寨、周寨、莊寨、劉店、	灘地多砂 堤外微含鹹	麥、豆、高粱、	灘地三元至十二元堤外廿五元至卅元
山東 河北	菏澤 東明 濮陽	秦莊、劉屯、趙莊、前由樓、黃莊、後衙、馬廠、左莊、後劉河口、南劉河口岔河頭、王橋、劉莊、	含沙灘地 純砂	麥、高粱、豆、穀、花生、蕃薯、	四十元至六十元 灘地五六元

河北	濮陽、東明	王辛寨、南高村、王街、姜胡同、高村、李寨、支寨、十里鋪、蘇店、白店、趙青莊、鄒莊、	南岸灘地含沙北岸堤外黄土	麥爲大宗豆及高粱次之	北岸八元至十元南岸八元至十二元堤外三十餘元
河北	東明	賀莊、前賀莊、孟莊、劉莊、井莊、李寨、十里鋪、崔寨、	黄壤土稍含黏土	麥、豆、穀、高粱、	二十元
山東	菏澤	劉莊、魏樓、段寨、萬灣、楊拐、丁拐、任拐、			
河北	東明	翟莊、胡樓、海頭集、翟寨、後邢彥、前邢彥、	除東南部沙土外餘皆黄土	麥、豆、穀、高粱、花生、	三十元至四十元
河北	東明、濮陽	東明縣西關、上店、劉揚、雷莊、董家園、千家村、雙井、梁樓、打席屯、小李屯、西南莊、尙莊、河道、	堤外黄土微含鹹堤內河灘含沙	麥爲大宗豆及高粱次之	廿五元至卅五元河灘地約六元
河北	東明	王寨、溫寨、五里鋪、郝寨、崔寨、劉墳、袁寨、朱口、白寨、	西北部黏土東南部沙土	花生、麥、豆、	西北部三四十元東南部二十元至三十元
河北	東明	馬集、雙谷堆、買盧、堡城、柳寨、西東明集、蔡堤寨、王堤寨、	黄土	麥、豆、穀、高粱、	二十餘元

第二十二章　山東省鄄城縣幅

（圖號一一六—三五—一二）

本幅圖內僅有鄄城縣屬各村於民國二十四年七月十日因黃河在董莊決口各村平地水深二公尺所有房屋田地悉被沖毀居民多就食他方合龍後始漸歸來從事耕種但土地多被沙淤有厚約一公尺半者每畝僅值十餘元產花生豆麥但不甚豐

第二十三章　山東省陽穀朝城壽張東阿幅

（圖號一一六—三六—二七）

第一節　地方概況

本幅圖內無河流據土人云黃河昔分二股南股在此圖南十餘里北股在陽穀縣之般莊張廟等村之北其後北股淤平南股亦向北移惟其變遷在何時期已不可考矣此段仍以金堤為山東北岸大堤各縣村落多在金堤內外民風樸素以農為業間有以販鹽為生尚能喫苦耐勞惟民風不開教育落後農民多係文盲自壽張至陽穀就大堤為公路汽車可以通行且可以東至濟南西至濮縣交通尚稱便利

壽張縣東部有趙王河（亦稱沙河）縱貫南北陽穀縣亦有趙王河一段斜貫圖中年久失修均已不成河形惟夏季雨水賴以宣洩舊運河亦在本幅圖內東阿壽張陽穀三縣交界處運河西有張秋鎮為沿運河之重鎮昔日商業繁榮極盛一時自黃河奪大清河而東行入海此處已逐漸蕭條矣

第二節　近年水患及被災狀況

各縣村落均未受重大水災惟每年夏秋積水為患無法排洩如陽穀縣之仰家樓袁樓秦樓朝城縣之王懷莊張莊壽張縣之許

樓楊莊等村在過窪涼不能宣洩時圖內四一·〇等高綫以下之地區即受澇害雖有趙王河若不通暢近在壽張陽穀縣之東部新挖排水渠一道至張秋鎮入運以期減消積水又壽張縣城及壽張之張堤口買坡陽穀縣之八里廟蕭家店闫莊等村每值大水時期水輒漫灘惟災情不甚重大耳

第三節　土質土產及地價

換調查所得各縣農村之土質土產地價各項依次列表如下以供參閱

黃河地形圖（圖號一一六—三六—二七）各縣農村之土質土產地價調查表

省名	縣名	村名	土質	土產	地價（畝）	備考
山東	陽穀、朝城、壽張	李樓、朱莊、劉泗河、魏樓、王滿莊、尚家井、	土多鹽鹹	麥、豆、高粱、穀、	廿元至五十元	上列村名係擇圖中村莊之較大者列入其他從略以下做此
	壽張	王莊、周家莊、趙家莊、四座棚、王家莊、薛家莊、	沙黏土	豆、麥、高粱、粟、梨杏、	四十元至八十元	
	陽穀	吳堂、三官廟、孫集、孔莊、丁家集、許家莊、	同上	同上	同上	
	壽張、陽穀	皋姑塚、趙家崖、魏台、雷海、王家廟、王坑、	土多含鹽鹼性及白沙土	豆、高粱、穀、小鹽、	卅元至八十元	
	東阿、壽張、陽穀	張秋鎮、王廟、城坡、李堤口、王堤口、桑段營、	沙土地	麥、豆、穀、高粱、	四十元至七十元	
	陽穀	邵家樓、袁樓、秦樓、東西唐坊、鐘樓、前後孟樓、	泥沙土	麥、高粱、豆、小米、	三十元	

陽穀	呂家莊、楊家園、席家莊、蓮家莊、白家樓、賈莊、	堤內紅淤土堤外沙黏土	麥、豆、高粱、穀、柿、梨、杏、	二十元至七十元	
壽張	冀家莊、苗台、黃家莊、李家堂、武堤口、柿子園、	同上	同上	同上	
壽張	縣城、閆堤莊、滿家坑、陳窰、來鳳集、史胡同、	堤外沙黏土堤內紅黏土	麥、豆、高粱、杏、梨、棗、	五十元至八十元	
陽穀	八里廟、閆莊、蕭家店、武家堂、徐家莊、	同上	同上	同上	
東阿	楚莊、楊莊、孟堤口、王堤口、	淤土間帶沙性	麥、豆、高粱、	三十元至八十元	廿二年大水淤高三公寸至八公寸不等
陽穀	王家堂、田莊、丁家莊、殷家莊、楊胡子莊、	同上	同上	同上	同上
壽張	張堤口、賈垓、劉子魚、魯家莊、岳家莊、花莊	同上	同上	同上	同上

第二十四章　山東省　東平縣、壽張縣　陽穀縣　鄆城縣　汶上縣　幅

（圖號一一八—三五—一）

第一節　河流與堤埝險工

黃河由西北來入陽穀縣境溜向東南斜射南岸雷口孫樓轉東北側注辛莊入壽張縣界再偏東北入下圖

此段險工有雷口孫樓辛莊三處均屬于山東省修防處南一分段第四防汛雷口堤工至爲險要但所做工程均係石砌故尚平穩孫樓臨河坐灣頂衝背河有積水無圍堤每遇盛漲勢頗喫緊該處有石壩八座土壩一座壘砌石垛五十二座頗資防護尚無大礙辛莊險情則大遜于雷口孫樓且該處有石壩十一座足資防護故稱次險

孫樓迤上堤外有清水河舊由雷口穿黃河北行清光緒元年黃河南岸大堤築成該河入黃之路遂斷乃改由今道至戴廟入運河

本幅圖內東平縣東半部爲東平湖西南部有運河穿行自戴廟迤上昔日運河經過黃河上接陶城埠自戴廟迤下經過安山王恩口斬口鎮張壩口崔莊等地南行爲南北漕運重要航路自黃河于清咸豐五年改道後屢疏屢淤其後乃改漕運爲海運河遂失其重要性而遂漸荒廢矣

東平縣城南有小清河兩岸均有河堤此河繞城向北斜移東南與大清河連而爲一其出口在東平湖之北蒼莊仍展轉流入運河又東平湖畔有流向東南轉正東而去是名龍爨河該河極饒灌溉之利地方賴之

運河自十里堡至安山西無北堤僅有南堤故與東平湖相通自安山迤南則南北兩岸均有堤埝此處運河約相距二三十里有老閘一座安山鎮有水閘均爲昔日漕運工程

第二節　近年水患及被災狀況

本幅圖內各縣村水災仍受黃河在董莊決口影響當時大堤迤東地勢窪下黃水下注清水河宣洩不及以致陽穀縣姚莊董家莊壽張縣之萬家橋林家樓東平縣之前後店子等村悉遭淹沒潰水復南流經過東平縣之張莊楊莊大溜直抵運河堤立將安山西運河南堤潰決口門長四五百公尺黃河大溜遂滾入東平湖及運河三者合一勢益澎湃洶湧凡傍湖及運河兩岸居民靡不受災故該處有五年未見收穫居民均走四方求食災情至爲慘重

第三節　地方概況

壽張陽穀鄆城汶上各縣村落居民多務農教育幼稚東平縣以在東平湖附近間有業漁者該縣山水明秀民性溫和縣城附近以及船口徭家莊郭家村陳永堤等村小學林立教育頗稱發達近年來公路建設尤有進步東阿汶上均自汽車往來通行濟南一日可達以故消息靈便民智開通惟因湖水爲患土地時遭淹沒收獲頗難兼因受董莊決口影響東平湖中已五年不能耕種農民就食他方或往利津開墾者極夥現湖中村落雖多但大都無人居住滿目荒涼

東平縣之安山爲昔日漕運時代繁盛之區南北往來船隻咸集於此商業發達在上下數十里以內鎮集無出其右者自運河淤塞水路交通不便遂日漸衰頹近且完全失其繁榮所有商務均移往戴廟鎮矣

新口鎮亦爲東平縣傍運河之水陸碼頭糧食之一大集散地近年因黃運二河交相爲患東平湖地區收穫頓減以是影響商業市面亦呈衰落現象該鎮有縣立高小一所設備尚屬完善

第四節　土質土產及地價

據調查所得各縣農村之土質土產地價各項依次列表如下以供參閱

地形圖(圖號一一八—三五—一)各縣農村之土質土產地價調查表

省名	縣名	村名	土質	土產	地價	備考
山東	東平、陽穀、壽張	姚莊、蒞家莊、萬家橋、林家橋、前後店子、	黃河右岸大堤及右岸殿堤以外係淤土沿河兩岸係沙土	麥、豆、高粱、粟、	二十元至五十元	上列村名係擇圖中村莊之較大者列入其他從略以下仿此

東平壽張	前化莊、戴廟、萬仁寨、大金山、孫家河涯、	泥土	麥、豆、穀、高粱、玉黍、	八元至三十元
東平	北杏莊、土山莊、前埠子、後埠子、新莊、董莊、	膠性黃土	以麥爲夥每年秋收後上水	全爲湖地每畝三四十元
壽張東平陽穀	譚莊、辛那裏、段那裏、張園那裏、馬樓、曾閣、	沙土夾黃土星鹼性	稻、米、麥、高粱、穀、豆、蘿蔔、	三十元至五十元
東平	張莊、楊莊、東于家莊、西于家莊、	膠性黃土	稻、米、麥、豆、穀、高粱、魚類、	二十元至五十元
東平	亭子李莊、七里河、許莊、馬莊、八里灣、	膠性黃土	全爲湖地產魚甚富五穀產量不豐	湖心水地每畝只值三四十元灘地三四十元
東平	東平縣城、王莊、蔣樓、騾莊、謝河口、	黃土	麥、豆、穀、高粱、	八九十元
東平陽穀壽張	張莊、穆橋、東馮莊、西馮莊、沙窩裏、張莊、	黃泥沙地	高粱、豆、玉子、麥、穀、	十五元至二十元
東平	龐皮莊、商家老莊、范廟、新莊、殷家莊、	淤土	豆、麥、高粱、	三十元
東平	梁家莊、井莊、馬莊、于莊、田莊、史莊	淤土	豆、麥、高粱、	二十五元
東平	劉莊、黃莊、馮家窪、萬家窪、	膠泥黃土	五穀外尚產多量魚蝦及雁	湖地三四十元湖心二三元
東平	東平縣城、西關、小西門、南關、陳家堤、	黃土	麥、高粱、豆、穀、	縣城附近八九十元小清河南湖灘四五十元
壽張陽穀	李樓、楊樓、徐家樓、馮莊、	沙土	豆、麥、花生、高粱、	三十元

東平	壽張集、井橋、王莊、陶莊、孫莊、安樓、	淤土	豆、麥、穀、高粱、	三十元
東平	朱家舖、張莊、龍王堂、宋莊、趙莊、王莊、	淤土	豆、麥、穀、高粱、	三十元
東平	船口、張家莊、郭家莊、後青舖、王仲口、馮莊、	膠泥黃土	麥、高粱、豆、穀、魚、蝦、雁、	二三十元湖心亦地二三元
東平	楊閣、牛家樓、薛莊、馬家莊、	膠性黃土	高粱、穀、豆、魚類	四五十元
壽張鄆城	劉莊、梁山寨、程垓、堯莊、楊家營、	黃泥沙地	高粱、豆、麥、穀、	四十元至四十五元
東平壽張	陳莊、姜莊、任莊、張莊、	黃泥沙地	高粱、豆、麥、穀、	十五元至二十元
東平	王恩口、婁台、喬九、齊村、李莊、李村、	膠性黃土	麥、豆、穀、	四十元
東平	靳家口、王必口、曹圈、七神堂	膠土	麥、豆、穀、	四五十元
壽張汶上鄆城	梁山寨、薛屯、王樓、辛屯、李莊、吳垓、	黃泥沙地	高粱、豆、玉子、穀、麥、	三十元至三十五元
壽張	郝家山頭、馬家、揚孟莊、	淤土	豆、麥、穀、高粱、	八十元
汶上東平	丁蒙堂、李莊、魏莊、張莊、	淤土	豆、麥、穀、高粱、	四十元
東平汶上	王莊、樊橋、王府集、姚莊、	淤土	豆、麥、穀、高粱、	十二元
東平汶上	吳莊、唐樓、郝莊、毛李莊、	同上	同上	同上

縣名	村名	土質	土產	地價	備攷
東平 汶上	靳口、後林莊、 閻樓、張莊、	淤土	豆、麥、穀、 高粱、	四十元	
汶上	孟莊、南新莊、新莊、 焦莊、	沙淤土	豆、麥、穀、 高粱、	壹百元	

第二十五章　山東省　汶上縣 鄆城縣 幅

（圖號一一八—三五—五）

第一節　地方概況

本幅圖內無河流鄆城縣有古宋金河一道年代湮遠僅具河形而已汶上縣之孔家坊于王莊崔莊郭堂黄莊等處因地勢窪下每年大雨之期常以積水爲患兩縣各村居民大都務農能吃苦耐勞故農村經濟頗稱小康惟教育極感不振民智低落

第二節　土質土產及地價

據調查所得各縣農村之土質土產地價各項依次列表如下以供參閱

地形圖（圖號一一八—三五—五）各縣農村之土質土產地價調查表

省名	縣名	村名	土質	土產	地價	備攷
山東	鄆城	王海、曲莊、保坡、張坡、蕭何廟、北陳樓、閻店、梁坡、王莊、	淤沙土	花生、豆、麥、棉、穀、	四十元	上列村名係擇圖中村莊之較大者列入其他從略以下仿此

汶上	許莊、湖屯、汪屯、李官樓、牛樓、楊集、盧垓、方莊、高廟、	淤沙土	豆、麥、棉、高粱、	五十元
汶上	孔家垓、于王莊、姜莊、林莊、王莊、周莊、徐河頭、瓦王莊、前孫莊、解莊、	淤鹹土	豆、麥、穀、高粱、	七十元
汶上	黃莊、柴莊、夏莊、郭莊、高垓、梁莊、馬園莊、樓、姜莊、李垓、耿鄉、王莊、	淤沙土	豆、麥、穀、棉、	八十元
汶上	崔莊、王莊、郭堂、吳莊、後楊莊、黃店、玉皇廟、玉皇閣、	淤沙土	豆、麥、綿、高粱、	七十元
鄆城	張莊、吳屯、趙莊、李垓、石莊、康莊、紅門廠、陳莊、張莊、常上、許莊、	含有鹹性	豆、高粱、麥、紅薯、	二十五元至三十元
汶上鄆城	園鋪、李家鄉、前楊莊、後張莊、楮莊、鼓樓溝、小王莊、大王莊、胡莊、	淤土	豆、麥、高粱、穀、	八十元
汶上	陶莊、韓莊、鹽莊、王莊、杜莊、邱莊、齊樓、盧樓、劉古屯、申海、	淤土	豆、麥、穀、高粱、	七十元
鄆城	焦莊、王莊、孫那裏、李現莊、高莊、程莊、馮莊、前劉莊、辛莊、	黃泥沙地	高粱、麥、紅薯、豆、	二十五元至三十元

鄄城	馬莊、商家莊、黃莊、蕩于廟、揚家街、姚莊、唐樓、韓海、徐莊、李莊、	淤	土	豆、麥、穀、高粱、	四十元
鄆城汶上	張莊、劉井、老君菴、南陶莊、孫莊、郭莊、李垓、戴莊、王莊、	淤	土	豆、麥、穀、高粱、	七十元

第二十六章　山東省 東阿縣 陽穀縣 平陰縣 東平縣 壽張縣 幅

（圖號一一八—三六—一三）

第一節　河流堤埝與險工

黃河由南來經十里堡往北流入壽張縣界偏東北復往正北入東阿縣界復偏東北經陶城埠南再偏東北折而東經牛屯魏山溜射陰柳科折而正北經范坡再轉正東有新運河清河姜溝三水來匯再偏東北經大河口有狠溪河流入復偏東北經蘇橋桃園入平陰縣界

十里堡為山東修防處上游總段部駐所堤岸臨河形勢灣曲惟因接連孫樓辛莊以上之石壩挑溜再有該處石壩三座尚無大礙該處有運河故道昔日上接陶城埠運河為漕運時代南北啣接之樞紐陶城埠有水閘一座自此往西北蜿蜒轉向正北經阿城鎮劉樓夏堂小朱莊等處自清光緒中葉後運河遂漸淤涸不能通航民廿三年山東省政府曾徵工疏濬一次惟河底仍乾涸迄未見效阿城鎮之西北隅及劉樓各有舊閘一座現已大半傾圮矣又東阿縣之西北有趙王河通過但非遇雨水則河床乾涸山東省政府正

擬遣行疏濬云

本幅圖內在東阿縣之姜溝迤下在昔爲大清河故道清咸豐五年銅瓦廂河決奪大清河東行遂成今道姜溝西南有新運河坡河（或名大清河）姜溝三水由東平湖來匯又在大河口有狠溪河流入惟逢黃河盛漲則各支流即成倒漾河底漸爲淤沙墊高故東平湖水因宣洩不暢歷年有漫溢之患

新運河在大清河之西民廿四年始開鑿成河引東平湖水注入黃河以排除積水減湖水災得以減輕但自廿二年大水後湖水位增高湖灘盡被淹沒至今灘地仍在水中又東平湖西概屬山地山與山間連以小埝以隔湖水但埝以內山脚下地勢低窪湖水雖隔于外而雨水無路宣洩每屆雨水時期亦感積潦之患

第二節　近年水患及被災狀況

本幅圖內黃河水患較輕最重者如陶城埠馬莊等村黃水漫灘而已至姜溝一帶則自清光緒廿四年以後迄今三十餘年未遭潰溢民廿二年洪水位在姜溝山麓爲四一·七四公尺僅河東一帶稍被淹沒其餘堤防並未發生特別險情惟一遇霪雨則大堤民埝間積水每達一二公尺而河東一帶因河岸高于平地山間雨水無路排洩故自民廿二年以來歷年漫潦未得較好收成又在運河附近村落如東阿縣之羅家墳小辛莊阿城鎮劉樓陽穀縣之路莊玉皇閣等村因排水工事不善每歲夏秋積水爲災

第三節　地方概況

各縣所屬村落居民大半務農地方安靖惟東阿縣之路莊陶莊等村居民農村經濟殊爲困窘據調查年來有百分之六十住戶缺乏糧食往昔尚可任意出關工作以補不足自九一八後出入備受限制生活更感困難矣該縣路莊玉皇閣等村居民除務農者外兼營小商業或熬膠或業船以資補救均能吃苦耐勞勤于所事地方教育則極閎不振衔大村莊僅有蒙學一處其他更無論矣

東平縣如劉莊郭樓王莊等村亦極困凋敝全年收穫不足供終年之食惟在該縣之李屯宋屯以及東阿縣之王古店臥牛山店等村人民樸實耐勞近年開墾山地甚多農村頗爲發達

山東建設廳最近在東阿縣魏山東安設虹吸管以吸取黃流灌溉該處地畝此雖係創辦其成效必有可觀

第四節 土質土產及地價

據調查所得各縣農村之土質土產地價各項依次列表如下以供參閱

黃河地形圖（圖號一一八—三六—一三）各縣農村之土質土產地價調查表

省名	縣名	村名	土質	土產	地價（畝）	備考
山東	東阿	路莊、陶莊、荊崮頭、孫郭、崔莊、沙堤子、劉河東、張集、陳家店、	沙淤土	麥、豆、高粱、黍、粟	上地八十元次地六十元窪地三十元	上列村名係擇圖中村莊之較大者列入其他從略以下倣此
	東阿	山頭、宋莊、孫家道口、張家道口、香山、揚家莊、盧莊、老北石坡、舊城、	黃砂土	麥、豆、穀、高粱、玉黍、	三十元至六十元	
	平陰	舊李屯、小汶家道口、楊家山莊、新李屯、小站、大站、亭山頭、大套、	黃砂土	麥、豆、穀、高粱、玉黍、	三十元至六十元	
	東阿	龐家垓、小辛莊、耿莊、楊莊、高村、堤口、呂營、小趙莊、大趙莊、劉坑、	沙淤土	麥、豆、高粱、	三十元至八十元	

陽穀	阿城鎮、劉樓、朱樓、呂家坊、王榮莊、田樓、于莊、任莊、夏口、夏莊、	沙淤土	麥、豆、高粱、	三十元至八十元
東阿	東西田馬莊、張廣莊、何窪莊、前王莊、後王莊、邢莊、傅莊、李莊、關營、	黃土	麥、高粱、穀、豆、玉黍、	二十元至八十元
東阿	姜莊、梨園、周莊、徐屯、翟坊、張坊、馮樂、黃胡同、王故莊、張莊、魚山、	河灘爲沙土及沙泥兩合土山麓多絳色膠土	麥、豆、高粱、粟、菜蔬、	平地四十五元山麓一帶九十元
東阿 陽穀	路莊、玉皇閣、劉什莊、阿城、孟家樓、大窪里、韓海、岳莊、祁店、	白沙	麥、穀、豆、高粱、又阿井水熬阿膠亦爲此地特產	三十元至七十元
東阿	銅山、魏山、陰柳科、牛屯、郭家營、	混合土	麥、穀、高粱、豆、	距堤邊不受水災者七十元至一百元含鹼性者三十元至五十元
東阿	姜溝、姬莊、尹莊、小辛莊、東寨子、西寨子、中寨子、鐵山、鵝山、龐口、王莊、八里河、	大部係紅淤土略帶沙質	麥、豆、高粱	
東阿	石家塘、袁莊、大洪口、棗家營、孟家海子、逸趙店、紙坊、徐堌堆、	黃土	麥、豆、高粱、穀、玉黍、	二十元至六十元
東阿	陶城埠、馬莊、黃土、發山莊、陳莊、楊閘、子路莊、徐八士莊、簸箕王豆山、	膠土及淤沙土	麥、豆、高粱、黍、菽、	三十元至六十元

東阿	斑鳩店、豆山莊、魏家河、北塘子、王莊、王廟、康村、陳家山口、徐莊、高莊、	大部沙土	花生、麥、高粱、蔬菜、	二十元至五十元
東阿東平	閻家海、趙橋、曾莊、張秋李壩、鄭三里楊莊、、	淤土及沙土	麥、豆、高粱、穀、	三十元至六十元
東阿東平	銀山、石廟、蔡窩、茂王村、、隋山、王莊、劉莊、戴屯、	沙土及黃土膠土	麥、豆、穀、高粱、	二十元至八十元
東阿	王古店、屯村鋪、大棘成、侯家河、陸家村、北塘子、皮家窪、臥牛山莊、	沙礫土	麥、豆、高粱、魚類	三四十元
東阿	前後夾河、楊莊、許莊、沙窩、崔莊、東堤顧家莊、前後八里、鄭莊、	黃沙土	麥、豆、高粱、玉黍、穀、	二十元至六十元
東阿壽張	紅廟、翁莊、白鋪、	同上	同上	同上
壽張	湯莊、田樓、前後棗莊、大壩、丁橋、十里鋪、朱莊、呂家樓、邵莊、王常莊、	同上	同上	同上
壽張東平	楊家莊、姜莊、	同上	同上	同上
東平	戴家莊、張家海、金莊、閻家海、赤莊、辛莊、陳關莊、薛莊、	黃沙土	麥、豆、高粱、玉黍、穀、	二十元至六十元
陽穀	張廣莊、胡莊、	同上	同上	同上

陽穀 壽張 東平	于樓、	同上	同上	同上
東平	劉莊、郭樓、王莊、呂家莊、沈樓、大陸莊、軒堂、竹山莊、南山莊、	膠土及沙土	麥、高粱、豆子、粟、	三十元
東阿	東釣台 西釣台	同上	同上	同上
東平 東阿	王古店、臥牛山莊、李屯、宋屯、侯屯、戴屯、朱屯、馮樓、茶棚、張莊、	除東平湖外全屬山地故係砂礫土	麥豆高粱外魚類甚多	山地已開墾者三四十元

第二十七章　山東省 平陰縣 東阿縣 肥城縣 聊城縣 幅

（圖號一一八—三六—九）

第一節　河流與堤埝險工

黃河由西南來入平陰東阿縣界有玉帶溪流入偏東北轉向東經龍橋郭口再偏東北經孫柳莊轉向西南經前阮二莊轉正北濇射下壩頭及周家門前轉向正東復微偏西南經雲盤山轉向東北入肥城縣界

本幅圖內有趙王河官路河新開河拔貢河玉帶溪等河趙王河係一乾河僅宣洩雨水而已按東阿縣誌趙王河乃黃河故道在縣北四十里從西南陽穀縣界經銅城之南由清冷口東過楊柳鎮入長清縣界本圖趙王河在聊城以東銅城以南河形斷續或爲窪

坑或爲灘地甚難辨認該河之水至東阿洩入銅城之舊官路溝再往東北經王海子及朱旺山莊曹屯各地仍稱趙王河惟河身已作耕地不復成河形矣

官路河又稱官路溝在東阿縣小店子至大店子一段爲北上大道近已成爲河溝相傳清光緒廿四年黄水自香山決口冲刷而成此河自桐城北行約十餘里終年不涸不啻一蓄水池

攱賈河起自東阿縣秦姚莊迤南大堤之外以排洩堤脚之水新開河在牛角店西北爲前山東省建設廳疏濬並有排水渠亦係排洩窪地積水至玉帶溪則爲山水匯流自高而下以歸入黄河

第二節　近年水患及被災狀況

本幅圖内縣屬各村仍多積水爲患間有黄水漫溢災情亦輕如平陰縣之阮莊霍莊李博士莊等村北部易受黄水漫溢其南部近山處則爲一片窪地積水淹及田禾又如東阿縣之徐集大店子小店子張牛仙莊等村于清光緒廿四年香山西首王廟黄河決口洪水氾濫被災甚重其後漬水由小店子循官道溝北流近年每逢淫潦稍窪之處即有積水害及農作物其他平陰縣之豆山莊外山莊東阿縣之姜莊李坡等村因上下地勢頗窪靡不被災據上述情形似應多闢河道以便排水或厲行溝洫制度以利農業如肥城平陰縣屬之牛角店李莊等處以開有新開河一道並有排水渠致道災情即見減輕倘能推行或因勢利導實于農田裨益不淺也

第三節　地方概況

人民性誠實儉樸多務農平陰縣之牛角店附近及東阿縣之八里莊殷莊等村間有經營小商業者又平陰縣之東子順大李子順等村悉屬山地易遭山水之害殆無可耕之地故居民皆甚窮苦凡本幅圖内各農村教育均不發達兒童失學者甚多婦女皆纏脚其風氣閉塞如此其他可以概見矣

第四節 土質土產及地價

據調查所得各縣農村之土質土產地價各項依次列表如下以供參閱

黃河地形圖（一一八—三六—九）各縣農村之土質土產地價調查表

省名	縣名	村名	土質	土產	地價（畝）	備考
山東	平陰	陳家集、曹家莊、與仁莊、趙家莊、董家莊、劉守義莊、張家莊、	大部爲黃土中部稍帶鹼性	麥、豆、高粱、穀、	三十元至五十元	上列村名係擇圖中村莊之較大者列入其他從略以下做此
	平陰	張集、范集、大路口、董圈、張莊、王莊、紅劉莊、	白沙土	麥、穀、山芋、豆、	二十元至七十元	
	肥城平陰	牛角店、李莊、傅案、大黃莊、姜莊、劉莊、	沙土多含鹼性	麥、穀、高粱、豆、	同上	
	東阿	賈莊、劉家坑、楊莊、趙莊、卓莊、張灘、與莊、雷莊、郭鉄匠莊、	大部黏土	麥、高粱、豆、韭、	三十元至七十元	
	東阿	崗子八里莊、侯莊、新莊、魏堂子、王家井、	白沙土	麥、穀、豆、高粱、山芋、	三十元至六十元	
	肥城平陰	柳合圈、近鎮、孫家窩、梁山口、劉官莊、陶嘴、夏溝、黃渡、朱家圈、史圈、董家圈、	河東多淤土河北西部淤土堤內略帶沙質	麥、豆、高粱、韭、	淤土八十元至一百元沙地三十元至五十元	
	東阿聊城	張大人集、李家堂、秦老莊、王莊、孟家莊、于才莊、菓子王家莊、	沙土	穀、麥、高粱、豆、玉黍、韭、	三十元至六十元	

東阿	王海子、崔莊、甄莊、夏莊、馬莊、歐集、油莊、耿莊、姜莊、興隆屯、	西部紅土中部及堤內爲鹹地	豆、麥、高粱、玉黍、棗、	四十元至五十元
平陰東阿	殷莊、畢莊、生莊、大義屯	白沙土	穀、豆、紅粱、麥、	四十元
平陰	龍橋、靳家寨、凌莊、彭王莊、山頭、	沙土及膠性沙土、	穀、豆、麥、紅粱、	三十元至八十元
平陰	院莊、翟莊、李博士莊、東平洛、西平洛、安城、	沙土及黃土	麥、穀、豆、山芋、玫瑰害、酒、糖、	六十元至一百元
東阿	徐集、大店子、小店子、張半仙莊、王莊、鄭集、紅廟、田莊、楊莊、曹寺、	淤土	麥、豆、高粱、花生、紅棗	五十元
平陰東阿	豆山莊、外山莊、王小莊、江莊、俄莊、孫莊、韓莊、姜莊、李坡、金梧莊、井家樹、黃屯、小蘇莊、	山下紅土河西膠泥土	麥、豆、高粱、棗、	二十餘元至七十元
平陰	東子順、大李子順、宋子順、孫子順、畢海洋莊、李山頭	近山多紅沙土平地多黑淤土	麥、豆、高粱、菜類、	五十元至六十元

第二十八章　山東省長清縣肥城縣平陰縣幅

（圖號一一八—三六—一〇）

第一節　河流與堤埝險工

黃河由西南來入肥城縣界偏東北經劉家莊姚家河門入長清縣界此處河身成S字形偏東北復偏西北再偏東北轉向正北經顧家道口老辛莊再偏西北溜射五龍潭官莊及大馬頭折向正東偏東北入下圖

此段黃河自銅瓦廂決口後即由此道至今無大變遷惟河形屈曲險工時生該段官莊險工爲中游著名極險堤形坐灣大溜頂衝雖有石壩三十二座磚壩三座然每當汛期仍異常吃緊五龍潭在中游北岸民埝下首臨河大溜紋邊背河地勢低窪有石壩九座石垛五座府有石垛五座共十八座惟堆石單薄尙須加拋大馬頭臨河水溜甚急岸灘屢被刷坍現岸邊離大堤已不甚遠雖有石壩二座因距離太遠不敷掩護須增修護沿或石壩方可無虞也

圖內除黃河外並有趙王河范公河沙河趙王河于廿二年春經山東省建設廳測勘開濬排洩積水自工竣後地內積水漸少水患已略減矣

第二節　地方概況

各縣屬農村土地均能耕種經濟情形亦稱小康惟教育不振民智低落共閉塞風氣一如前章所述長清縣之曹家樓一帶地勢特窪積水無由宣洩往往成災又該縣黃花園新孟家道口一帶因距河甚近每年多被河水淹沒地內淤深五公寸更兼東南部之山水浸灌農產各項極受影響惟災情不大于農村尙無重大損失

第三節　土質土產及地價

據調查所得各縣農村之土質土產地價各項依次列表如下以供參閱

黃河地形圖(一一八、三六—一〇)各縣農村之土質土產地價調查表

省名	縣名	村名	土質	土產	地價(畝)	備考
山東	長清	龍莊、大胡莊、小胡莊、戶家莊、小王莊、徐家莊、樓莊、王家莊、		豆、麥、穀、高粱、玉蜀黍、	三十元至四十元	上列村名係擇圖中村莊之較大者列入其他從略以下倣此
	平陰 肥城	檀家莊、油房、范家莊、靖家莊、福興寨、崔家橋、黃家口、		同上	同上	
	長清	大馬頭莊、官莊、劉家莊、黃家橋、水波莊、霧露河莊、李家莊、桃園、	東部近山一帶黃土	麥、豆、穀、高粱、	十元至八十元	
	肥城 平陰	周莊、馮家集、吳莊、呂樓、劉家、李家隄、	土含鹹性沙質甚多	麥、穀、紅粱、	二十元至六十元	
	長清 肥城	孫莊、石拐莊、北方頭、小侯莊、婁家集、王家坡、	砂土	麥、穀、高粱、豆、玉黍、	二十元至六十元	
	肥城	范家營、崔李、李家營、北劉家營、潘家莊、小閻莊、	砂土	麥、豆、穀、高粱、玉黍、	二十元至六十元	
	長清	前辛莊、後辛莊、黃家園、	黃土	麥、穀、高粱、豆、玉黍、		
	肥城	石崗、安淵村、水里堡、後楚莊、東漳	同上	同上	同上	
	肥城	廣里鎮、廣里店、潘家莊、張家營、王家店、石炭窰、	砂土	麥、豆、高粱、穀、玉蜀黍、	二十元至五十元	

第二十九章　山東省 齊河縣 濟南市 歷城縣 長清縣 幅

（圖號一一八—三六—六）

第一節　河流與堤埝險工

黃河由長清縣南來偏西北溜射北岸韓家莊叢寺程官莊往北流溜射北岸枯河折而正東經于莊偏西北經孔官莊溜射司里莊陰河折向正東復偏東北溜射譙莊再偏東北入齊河縣界經紙坊張村轉向正北溜射北岸豆腐店及水牛趙莊偏西北再偏東北溜射袁家道口及索莊房莊折向正東經顾家溝南灘齊河縣城斜射南岸北店子復往東北經王莊張莊曹園席家渡口轉正東經韓家道口楊莊再偏東北溜射北岸李家岸入濟南市界及歷城縣界經徐莊小魯莊洛口鵲山入下圖

上述河形仍極不順且河面漸窄其寬度不過二百公尺故溜勢湍急險工甚多茲將各險工情形以及防護等項依次列表如下

黃河地形圖（圖號一一八—一二六—二七）險工表

險工名稱	縣別	岸別	汛別	起訖地點	險工情形	防護狀況	備考
韓家莊	長清	北岸	北二分段第三防汛	一五一、三公里至一五二、〇公里	臨河水流甚急背河常有積水外有圈堤	石埽二座石壩十道	
叢寺	長清	北岸	北二分段第三防汛	一五四、〇公里至一五四、七公里	臨河水流遲緩	石埽二座柳埽一座土埽三座	
上段程官莊	長清	北岸	北二分段第三防汛	一五四、七公里至一五五、三公里	臨河水流甚急		
下段程官莊	長清	北岸	北三分段第一防汛	一五五、〇公里至一五五、三公里	坐灣頂衝	石埽四座	

地名	縣別	岸別	段汛	里程	情形	工程	備考
枯河	長清	北岸	北三分段第一防汛	一五五、三公里至一五五、九公里	坐灣頂衝	石壩四座石垻四座	北三分段第一防汛駐在地
荆隆口	長清	北岸	北三分段第一防汛	一五七、五公里至一五八、一公里	臨河水溜較邊背河地勢低窪有積水	石壩六座	
于莊	長清	北岸	北三分段第一防汛	一五八、六公里至一五九、五公里	溜急	石壩三座	
孔官莊	長清	北岸	北三分段第一防汛	一六二、〇公里至一六二、六公里	臨河有淤灘背河有積水	石壩七座	
司里莊	長清	北岸	北三分段第一防汛	一六三、一公里至一六三、五公里	坐灣頂衝	石壩四座土壩四座	
陰河	長清	北岸	北三分段第一防汛	一六三、五公里至一六四、〇公里	臨河坐灣頂衝背河有積水	土壩三座石壩一座	
譙莊	長清	北岸	北三分段第一防汛	一七〇、八公里至一七一、六公里	臨河坐灣頂衝背河有積水	石壩七座	
紙營	長清	北岸	北三分段第一防汛	一七三、五公里至一七四、〇公里	急溜	石壩八座柳壩二座	北三分段第二工汛駐在地
張村	齊河	北岸	北三分段第一防汛	一七三、五公里至一七四、〇公里	低水時期壩前有淤灘	石壩三座	
豆腐窩	齊河	北岸	北三分段第二防汛	一七七、七公里至一七七、九公里	臨河坐灣頂衝背河低窪有積水	石壩九座石垻五十一座磚垻三座	北三分段第二防汛駐在地
水牛趙莊	齊河	北岸	北三分段第二防汛	一七九、九公里至一八〇、四公里	臨河坐灣頂溜背河有積水	石壩八座石垻十四座	
袁家道口	齊河	北岸	北三分段第二防汛	一八一、七公里至一八二、五公里	臨河坐灣頂溜背河底窪有積水	石壩四座石垻三座	
索莊	齊河	北岸	北三分段第二防汛	一八二、五公里至一八二、九公里	臨河坐灣頂衝背河低窪積水		
徐坊	齊河	北岸	北三分段第二防汛	一八二、九公里至一八四、三公里	臨河順溜背河低窪	石壩三座石垻七座	

房莊	齊河	北岸	北三分段第二防汛	一八四、三公里至一八四、九公里	臨河溜勢東移背河低窪	石壩一座稭埽三座石埽九座	
五里堡	齊河	北岸	北三分段第二防汛	一八四、九公里至一八五、六公里	臨河坐溜頂衝背河低窪有積水	石壩一座石埽十三座	
顧家溝	齊河	北岸	北三分段第二防汛	一八五、六公里至一八七、六公里	臨河坐灣頂衝背河低窪有積水	石壩三座石埽十八座	
南壇	齊河	北岸	北三分段第一防汛	一八七、六公里至一八八、四公里	臨河坐灣頂溜背河低窪有積水	石壩三座石埽二十四座	
王莊	齊河	北岸	北三分段第二防汛	一八九、五公里至一九一、八公里	臨河坐灣頂衝背河低窪	石壩十座柳壩一座柳埽三十座石埽廿二座	
席家道口	齊河	北岸	北三分段第三防汛	一九七、一公里至一九八、二公里	臨河溜勢埽邊背河積水	石壩四座石埽十四座柳埽四座稭埽二座	對岸迤上即南岸楊莊險工
李家岸	齊河	北岸	北三分段第三防汛	一九八、一公里至一九八、二公里	臨河溜勢埽邊背河積水	石壩四座石埽十四座柳埽四座稭埽二座	
趙莊	齊河	北岸	北三分段第三防汛	一九八、二公里至一九九、四公里	臨河雞心灘背河窖水	石壩七座石埽七座柳埽三座稭埽二座	
邱家岸	齊河	北岸	北三分段第三防汛	一九九、四公里至二〇〇、七公里	臨河溜勢南趨背河地勢窪下	石壩六座石埽四座柳埽五座	
王家窰	齊河	北岸	北三分段第三防汛	二〇一、三公里至二〇三、五公里	坐灣頂衝	石壩二座柳壩一座石埽廿二座	
桃園	歷城	北岸	北三分段第三防訊	二〇四、九公里至二〇五、八公里	臨河坐灣頂衝背河積水	石壩三座石埽十九座	對岸即南岸之丁莊險工
北店子	長清	南岸	南二分段第一防汛	二三六、一公里至二三六、四公里	此工爲山東中游南岸大堤迤上玉符河入黃之口玉符河迤下大溜頂衝稱爲極險背河有圈堤	石埽十九座稭埽一座石壩二座	

張莊	長清	南岸	南二分段第一防汛	二三六、四公里至二三六、五公里	臨河順溜低水時埽前有淤灘長十丈洪水時期着邊溜背河有積水無圈堤	石埽二座柳埽二座石壩一座
曹家圈	長清	南岸	南二分段第一防汛	二三八、一公里至二三八、七公里	臨河順溜背河有圈堤套內地勢低窪存積水	石壩二座柳壩二座柳埽二座各壩根均空虛宜增石拋護
韓道口	長清	南岸	南二分段第一防汛	二四二、二公里至二四二、三公里	臨河順溜背河有積水無圈堤	石壩二座經連年拋修尚屬整齊
楊莊	長清	南岸	南二分段第一防汛	二四二、八公里至二四三、七公里	楊莊一帶堤形坐灣大溜頂衝爲中游著名極險背河有積水無圈堤	石壩十一座柳埽三座搶埽二座石壩四座大致尚屬堅固
徐莊	濟南市	南岸	南二分段第一防汛	二五〇、九公里至二五一、八公里	臨河頂衝大溜背河有積水有圈堤	石壩十七座柳埽一座石壩五座
老徐莊	濟南市	南岸	南二分段第一防汛	二五〇、九公里至二五一、八公里	臨河頂衝大溜背河有積水有圈堤	石埽十七座柳埽一座石壩五座
丁家莊	濟南市	南岸	南二分段第一防汛	二五一、八公里至二五二、三公里	臨河順溜低水時埽前有淤灘寬一百公尺洪水時期着漫溜背河有積水有圈堤	石壩四座石埽三座
小魯莊	濟南市	南岸	南二分段第一防汛	二五四、八公里至二五五、六公里	此工下接洛口形勢陡灣頂衝大溜背河有積水無圈堤	
洛口	濟南市	南岸	南二分段第一防汛	二五五、六公里至二五七、七公里	此工頂衝大溜地段亦長爲山東省堤之屏蔽離山較近所有埽壩均石修比他處鞏固	石埽十九座石壩十二座灰壩一座多用極平整長方塊石壘砌並用石灰拘縫

對於圖內除黃河外有巴公河白沙河趙牛河小清河玉符河趙王河牛角河除牛角河爲徒駭河支流流入黃河及小清玉符巴

公各河各有原流外其餘各河大都爲排洩山洪或地面雨水之用

小清河橫貫魯省東北部其遠源爲錦秀錦雲錦陽三川至歷城之中宮鎮匯而爲一稱玉符河北流至長清縣之睦里莊分爲二支一支北流至齊河縣城對岸入黄河一支經睦里莊向東北流始稱小清河該河入濟南市界後經南吳家舖東新沙王莊過無影山金牛山有濟南諸泉如趵突黑虎等泉來匯亦即小清河之近源也

巴公河爲趙牛河之支流自長清辛店屯以上亦名劉公河自趙官鎮以上過肥城平陰縣境又名趙王河上源起自肥城縣境自平陰牛角店過肥城黄口又名趙王河黄口以下乃名巴公河爲洩積水之一幹道

第二節　水利建設述要

各縣市農村無重要水利設施其灌溉田園如濟南市之糟永莊長清縣之大金大楊莊等村多有利用井水或安設水車用畜力以吸水者長清縣北岸紅廟有虹吸管一具用以放淤但以量小無甚成績惟藥山附近有溝渠一道通小清河可資灌溉

本會水文站設于洛口上關壩岸山東修防處水文站亦設于洛口西門外防一汛辦公處門前每日試水二次以青島海面爲基點

修防處北二段第一防汛旁有洩水閘一座係四十餘年前清山東巡撫張曜所設以備洩黄河洪水于衛河之用嗣以引河未開成迄未應用

第三節　近年水患及被災狀況

本幅圖內縣屬各村均無重大水災惟長清縣黄河西岸枯寺蕭寺等村每當夏秋之際因地勢低下雨水積聚無法排洩又該縣小房家莊段永莊于家莊等村亦因地勢低窪尤以套堤內之地每至雨季水不能洩出以致爲患甚至麥田不能播種曾由當地農民

自動挑挖洩水溝一道以洩入趙王河近雖遇雨水略有潦患但麥田可播種矣又齊河縣長清縣之全福莊王福莊一帶以及齊河縣之前後馬家坊大尹莊倪家辛莊蕭家屯濟南市之趙莊一帶亦多以地勢低窪積水無法宣洩爲苦雖經當地農民挖渠洩水但所挖洩水渠容量太小以致水量不暢效力甚微

第四節　地方概況

齊河長清縣屬各村人民多務農及經營小商業沿河村落間有以操船爲業者農村經濟尚能維持惟長清縣之郭家莊小辛店屯等地較爲貧困耳歷城縣之陳家莊王家莊梁家莊東西沙王莊等處則以距濟南較近經營商業者不少各村鎮小學亦甚多又濟南市長清縣之猪家莊大金莊大楊莊等村以土質肥沃出產豐富當地農民頗稱富庶因距濟南市較近多有種菜蔬爲業者

北洛口孫渠口鎮之北津浦路鐵橋之西地當交通要道是處居民以及附近村莊除務農外兼在商埠營小本商業或在碼頭搬運等項工作生活頗爲安定

第五節　土質土產及地價

據調查所得各縣農村之土質土產地價各項依次列表如下以供參閱

黃河地形圖（圖號一一八—三六—六）各縣農村土質土產地價調查表

省名	縣名	村名	土質	土產	地價（畝）	備考
山東	齊河	大夬營、王辛莊、八里莊、殷屯、趙井	沙壤及鹹地	麥、黍、穀、	四十元至六十元	上列村名係擇圖中村莊之較大者列入其他從略以下做此
	齊河	李茂隆莊、謝家莊、棉花張莊、郭家莊、郭閘、米家三里、崔家莊、	沙壤及少數鹹地	麥、豆、穀、菜、	三十元至七十元	

濟南市	六七溝、李家寺、蔣家莊、段莊、鄭家店、王家莊、魯塘莊、邱家莊、鄒家莊、趙莊、楮家莊、		麥、豆、高粱、	二十元至六十元
齊河	王家窰、戴家寺、李家岸、董莊、楊槙莊、十里莊、小陳莊、紅廟、		同上	同上
長清	楊莊、高莊、陳家莊、閻家莊、韓家道口、		同上	同上
齊河	朱家圈、丁家口、	黃淤地及碱滷地	麥、豆、雜粱、	三十元至七八十元
歷城	大王廟、范家莊、西紙坊莊、月芽塌、時家莊、梅花莊、鵲山莊、	同上	同上	同上
濟南市	東紙坊莊、北洛口、東張家莊、香劉莊、北馬家莊、小魯莊、大魯莊、張莊、義和莊、安樂鎮、	同上	同上	同上
齊河	倪家辛莊、簫家屯、馮家莊、後馮家坊、雙廟屯、田家屯、新莊、賈市、	西南部多鹽碱套堤內多沙地	麥、豆、高粱、	十五元至四十元
齊河	齊河城、孫家莊、孟家莊、顧家溝、齊河南灘、索家莊、	同上	同上	同上
長清	北店子、南店子、安家莊、雲遮寺、西辛莊、大龍王廟、沈家莊、七里舖、張家莊、	同上	同上	同上

濟南市	大飲馬莊、吳家鋪、蘆家屯、		麥、穀、玉黍、高粱、	三十元至八十元
長清縣	趙家莊、中趙莊、唐家莊、宋家莊、			
歷城	西沙王莊、東沙王莊、新東沙王莊、人和莊、盧家莊、閘子莊、袁莊、	黃土	麥、豆、高粱、粟、花生、山芋、玉蜀黍	三十元至一百二十元
齊河	解家莊、張莊、老王莊、葦葉王莊、三王莊、	多黃土西南部略帶鹼性	豆、麥、稜子、高粱、	二十元至三十元
長清	玉皇廟、小樓王莊、劉王莊、郭王莊、龍睡着莊、			
齊河 長清	華集、郭窰、焦廟、掟池、賈莊、李寨、李樓、齊營、姜堂、	沙土及黑土	麥、高粱、豆、穀、黍、	三十元至六十元
齊河	後馬家坊、前馬家坊、大尹莊、石門、張莊、徐弓匠莊、袁莊、馮家莊、	多城地	麥、豆、高粱、	十元至三十五元
齊河	水牛趙莊、前王莊、後王莊、潘莊、	東南部土質肥沃東北部鹼性	豆、麥、高粱、玉蜀黍、	上地六十元次等二十元至四十元
長清	史莊、丁家店、郭莊、邢家樓、			
濟南市	諸家莊、大金店、大楊莊、小金莊、	淤土	豆、麥、粟、黍、稷、高粱、玉蜀黍、高粱、蔬、	五十元至七十元
長清縣	担山屯、宋家莊、周官莊、			
歷城	陳家莊、王家莊、梁家莊、小梁莊三里莊、小屯、北大槐樹、小屯、老屯、	黃土	麥、粟、高粱、豆、玉蜀黍、	三十元至百十元

長清	劉坡頭莊、楊家河口、白草林、梁官屯、大耿莊、孫路莊、朱樓、潘莊、	劉坡頭西楊家河口一帶多黑土餘係沙壤	麥、豆、穀、棗、	二十元至四十元
齊河 長清	季家寨、張莊、楊莊、馬莊、張官、陳莊、賈莊、陶莊、楊家道口、卞莊、周家莊、	沙土	麥、穀、高粱、豆、玉蜀黍、	二十元至八十元
長清	紙坊、譙家道口、大張莊、老鵠張莊、小王莊、賈莊、魏莊、靖莊、	黃河西北岸多鹹土東南岸沙壤及黃土	麥、棉花、花生、	鹹土十元至二十元沙壤四十元至八十元
長清	後朱王莊、前朱王莊、馬店、小武家莊、盧家莊、金家莊、橋子李莊、		麥、穀、豆、高粱、玉黍、	二十元至百元
長清	郭家莊、小辛店莊、小劉莊、吳家寺、武家莊、蚩莊、丁莊、李莊、	沙土	麥、穀、豆、高粱、玉黍、	二十元至六十元
長清	大房家莊、小房家莊、段家莊、于家莊、李村武莊、義和莊、李家莊、		豆、麥、高粱、	三十元至六十元
長清	長清縣城、呂莊、西倉敖莊、東倉敖莊、西龐莊、大龐莊、	鹼土沙土	麥、豆、穀、高粱、玉黍、	十元至三十元
長清	閻莊、朱家莊、官莊、張莊、水波莊、呂官屯、邱家莊、劉集、	砂土	麥、穀、高粱、玉黍、	二十元至五十元
長清	董家崖、枯河、董寺、吳家渡、石官莊、塚寺、園、張莊、	沙土及沙壤	麥、豆、穀、稷、桃、棗、	二十元至五十元

長清	徐家崖、十里鋪、段莊燕、王莊鋪、	黑土	麥、穀、高粱、豆、	二十元至七十元
長清	三莊、朱莊、蘇莊、陳莊、孫莊、	白膠土紅膠土山石風化而成	麥、高粱、穀、豆、	四十元至八十元

第三十章 山東省 濟南市歷城縣 幅

（圖號一一八—三六—七）

第一節 河流與堤埝險工

黃河由西北來往西南流入濟南市界溜射蓋家溝折而西北側注姬莊偏東北流入歷城縣界

此段河形蓋家溝極國險要該處臨河坐灣頂衝背河低窪有積水無圈堤設有山東省修防處南二分段防二汛近一二年已將柳壩埽改爲石工計有石壩八座石埽十七座惟工段甚長現有埽壩尚不敷掩護堤身之用

姬莊小張莊一帶大堤尙稱堅固惟臨河大溜頂衝上首毗連蓋家溝背河低窪有積水無圈堤亦爲險工之一所有埽壩現均採用石料計有石壩十座石埽四座柳埽二座磚埽一座

小清河爲濟南市諸泉源之匯亦係舊日河流本幅圖內起自魯豐紗廠往東流經五柳閘黃台板橋折向東北經菜園莊洪家園入下圖

第二節 水利建設述要

歷城縣之賢文莊窰頭莊多旱河無長年流水河惟當夏秋之際則有山洪暴發勢頗兇猛因山水下注往往冲成極深之水溝

濟南市及歷城縣各村專賴鑿井澆地在前王二莊等村亦有沿小清河西岸吸河水以灌地者均以面積甚狹難以普遍惟附近七十二泉頗資灌溉之利最著者爲趵突泉黑虎泉珍珠泉泉水下注入小清河傍河一帶永無旱潦之虞地方胥利賴之

山東建設廳特在五柳閘及遊莊處建有船閘及水壩自民二十年五月開工至二十一年五月竣工又製挖泥船兩隻以供濬河之用由是小號駁船由下游可暢行至城垣附近矣

第三節　地方概況

濟南市地居山東省城膠濟路起點津浦路中心復臨黄河小清諸河交通便利教育普及工商業尤稱發達地勢東南多山西北窪下

據民二十三年五月調查居民爲九七、四〇一戶共計四三三、三〇八口華洋雜處日本居民竟達四四〇戶之多以經營西藥房者爲多

其市區北部之前王二莊以距濟南約十餘里復近小清河故交通便利民物亦頗富庶惟姬莊及蓋家溝一帶地瘠民貧居民除務農外多賴操船及勞力爲生

歷城縣之大辛莊張馬屯王舍人莊等村地處濟南諸山之北當山麓之下地勢南高北低膠濟鐵路諸沿莊之南二里左右通過之王舍人莊有火車站交通極稱便利又陳家張馬水坡等村爲諸山北麓盡處故地勢一變而爲平原其最窪處終年有水均作稻田此數村南距膠濟路王舍人莊車站僅六七里西北距小清河約二三里至五六里舟楫便利可往來于羊角溝諸山之間

又歷城之賢文莊土壤多爲山石風化而成質極肥沃民食頗豐落頭莊亦稱沃壤該處土地多爲濟南城内之富室購買因之地價頗爲昂貴

第四節　土質土產及地價

據調查所得各縣農村之土質土產地價各項依次列表如下以供參閱

黃河地形圖（圖號一一八—三六—七）各縣農村之土質土產地價調查表

省名	縣名	村名	土質	土產	地價（畝）	備考
山東	濟南市	簡王二莊、	黃淤	麥、棉、雜糧、	三四百元	上列村名係擇圖中村莊之較大者列入其他從略以下倣此
	濟南市	姬莊、	地勢窪下緊臨黃河故多鹹滷	花生及少許五穀	二十元	
	濟南市	蓋家溝、	鹹滷及黃淤各半	麥、豆、花生、雜糧、	二十元至八十元	
	歷城	大辛莊、張馬屯、王舍人莊、郭家莊、靳家莊、東周家莊、蘇家莊、	黃土	麥、粟、豆、高粱、玉米、	一百五十元	
	歷城	陳家、張馬、水坡、楊家屯、冷水溝、	土質有黃黑兩種黑土並有少處鹹土	稻、麥、粟、高粱、玉米、豆、（稻地多為黑土）	一百五十元	
	濟南市		土質多紅膠土係山石風化後冲積而成	稞、稻、麥及各種菜蔬、	稻田稞地八百元至千元近鄉耕地三百元至五六百元	
	歷城	晉文莊、	白膠土或紅膠土		四十元至九十元	
	歷城	鎔頭莊、	白膠土或紅膠土均係山石風化而成、	麥、豆、粟、	八十元	

第三十一章　山東省齊河縣歷城縣幅

（圖號一一八—三六—二）

第一節　地方概況

本幅圖內齊河縣屬各村約距黃河十餘華里該縣之潭家屯孟井等村附近有牛角河一道及放淤渠一道原擬放黃河水淤墊沙地現渠已淤塞失其效用矣

齊河縣之桑梓店爲津浦鉄路車站交通便利人民除務農外多種菓樹生活頗屬安定惟潭家屯孟井等處因土質不宜耕種較爲貧苦

歷城縣之大劉莊老寨小于屯桃園等村人民樸實仍多務農兼有作小商業者學校有初級小學雖農村經濟不至十分困窘但升學者寥廖

黃河曾于清光緒十年五月由李家岸決口大溜經過齊河縣之潭家屯孟井林莊興隆屯一帶故地多積沙歷城縣之大劉莊老寨等村據土人云黃河亦曾于清光緒十三四年連年在桃園以西決口村莊悉被湮沒損失甚大除此以外該二縣截至最近未被水患

第二節　土質土產及地價

據調查所得本幅圖內歷城齊河西縣農村之土質土產地價各項依次列表以供參閱

黃河地形圖（圖號一一八—三六—二）各縣農村之土質土產地價調查表

省名	縣名	村名	土質	土產	地價（畝）	備考
山東	齊河	袁莊、左莊、呂莊、倉上、桑梓店、	沙壤	麥、高粱、桃、杏、	五十元至七十元	上列村名係擇圖中村莊之較大者列入其他從略以下倣此

齊河	潘家屯、孟井、赫屯、興隆屯、	土質多沙除少數勉可種麥外大部不適于耕種		
歷城	大劉莊、老寨、小于屯、桃園、蓋莊、小寨、老于屯、大興莊、坡村莊、	黃沙土	麥、高粱、豆、穀、花生、山芋、	八九元至四五十元

第三十二章 山東省 歷城縣 章邱縣 濟陽縣 幅

（圖號一一八—三六—三）

第一節 河流與堤埝險工

黃河由歷城西南來往東北流經傳家莊折向正東溜射南岸霍溜轉正北復偏東北側注南岸河套圈清河寺孟家圈陳家圈微偏西北溜射北岸大柳樹店復往東北溜射南岸王家梨行姚莊折向正北入濟陽章邱縣界側注南岸溞溝小沙灘胡家岸偏西北側注北岸溝陽莊再偏東北復偏西北溜射南岸東關東斜莊入下圖

此段河流曲折南北兩岸險工頗多其險工情形以及起訖地點暨防護狀況參閱下表

黃河地形圖（圖號一一八—三六—三）險工表

險工名稱	縣別	岸別	汛別	起訖地點	險工情形	防護狀況	備考
傳家莊	歷城	南岸	南二分段第二防汛	二七二、六公里至二七三、五公里	臨河坐灣頂衝背河低窪有積水無圈堤	石壩十三座石垛三座	

霍溜	歷城	南岸	南二分段第二防汛	二七六、三公里至二七七、一公里	同上	石壩四座柳壩三座石垛廿四座柳垛六座	
河套圈	歷城	南岸	南二分段第二防汛	二八〇、三公里至二八〇、七公里	各埽有被淤距水廿餘公尺者有着流者背河低窪下首有小圈堤	石壩三座石垛十三座稭垛六座	舊爲大險相傳清光緒廿年前在現今之險工迤上三四里間全頂大溜
清河寺	歷城	南岸	南二分段第二防汛	二八三、三公里至二八三、八公里	頂衝大溜水勢逐漸上提背河地勢低窪	石壩二座石垛一座稭廂柳壩一座	
陳家圈	歷城	南岸	南二分段第二防汛	二八三、八公里至二八四、四公里	臨河頂衝大溜極爲險要所幸工程均用石料可資抵禦背河低窪有積水無圈堤	石壩二座石垛廿一座	
孟家圈	歷城	南岸	南二分段第二防汛	二八四、四公里至二八四、七公里	此工上毗陳家圈成一巨險工段綿長臨河頂衝大溜背河低窪有積水無圈堤	石壩三座石垛十一座稭垛一座	對岸迤下即北岸之柳樹店險工
楊史道口	歷城	南岸	南二分段第三防汛	二八八、三公里至二八八、七公里	臨河大溜頂衝背河有黑水潭坑無圈堤	石壩一座石垛十一座稭垛二座	背河黑水潭坑周長十餘里緊臨堤身相傳爲光緒年間決口遺跡
王家梨行	歷城	南岸	南二分段第三防汛	二八八、四公里至二九〇、三公里	臨河大溜頂衝背河低窪有積水無圈堤	石壩七座石垛十八座	
姚莊	歷城	南岸	南二分段第三防汛	三八九、四公里至二九〇、三公里	大水時溜勢絞邊	石壩六座土壩三座根基薄弱尚待拋護	
潘莊	歷城	南岸	南二分段第三防汛	二九〇、三公里至二九一、八公里	臨河順溜低水時期壩前有淤灘寬一百十餘公尺背河低窪有積水無圈堤	石壩三座土壩四座	

地點	縣別	岸別	分段防汛	公里	河勢	工程	備考
小沙灘	歷城	南岸	南二分段第三防汛	二九一、八公里至二九二、三公里	低水時期臨河有淤灘寬一百廿餘公尺大汛期內埽根微見漫水背河低窪無圈堤	石埽四座磚埽四座柳埽一座現多朽爛殘破	
胡家岸	章邱	南岸	南二分段第三防汛	二九二、三公里至二九三、三公里	臨河形勢坐灣大溜頂衝埽壩林立最爲險要所幸悉爲石工差可抵禦背河低窪有積水無圈堤	石壩九座石埽四十六座	
大王廟	歷城	北岸	北三分段第三防汛	二〇五、八公里至二〇六、一公里	溜勢甚順	石壩一座石埽七座	
紙坊	歷城	北岸	北三分段第三防汛	二〇六、一公里至二〇七、四公里	臨河溜勢埽邊背河係舊合龍處	石壩五座石埽九座柳埽五座	
柳樹店	歷城	北岸	北四分段第一防汛	二三二、六公里至二三三、三公里	臨河大溜頂衝近二年來微見上提背河地勢低窪有積水	石壩五座石埽六座尚屬堅固	柳樹店險工爲濟陽縣之屏蔽係多層柳民國十年曾由前浙江督軍盧子嘉捐助鉅款採運石料始完全修成石壩
溝陽莊	濟陽	北岸	北四分段第二防汛	二三八、六公里至二四〇、五公里	溝陽莊與胡家岸險工上下首隔河相對臨河大溜頂衝背河地勢低窪有積水	石壩十一座柳壩三座磚埽十五座柳埽二座石埽六座土壩三座	北四分段第二防汛駐在地對岸運上即南岸之胡家岸險工
東關東	濟陽	北岸	北四分段第三防汛	二四八、五公里至二四九、三公里	臨河大溜頂衝背河無積流	石壩十三座大致尚整齊因頂衝大溜吊勢坍塌情形仍所不免	北四分段駐在地
斜莊	濟陽	北岸	北四分段第二防汛	二四九、三公里至二四九、八公里	臨河水流甚急背河低積水	石壩二座柳壩五座土壩一座如溜勢懸[illegible][illegible]變化尚可抵禦	斜莊與東關東毗連在昔河水頂衝東關東時斜莊一帶僅走邊溜廿年後大溜下挫斜莊漸當其衝所有柳編各埽恐難維持即酌量修改石工

本幅圖內除黃河外有小清河由濟南來自小水坡偏東北轉向東流經東沙河莊馬家莊至小潘家碼頭折向正北偏東北復往東流至雅娑口折向正北該處有自龍山來之小溪曲折蜿蜒由東南至雅娑口注入水深不足一公尺寬僅一公尺餘清澈見底惟水量不足不敷灌溉之用

小清河與黃河相距不足二十華里歷城縣之小杜家莊郭二莊章邱縣之十八戶洪家莊蔣家莊等村適在兩河之間

第二節　地方概況

各縣水災甚少惟歷城縣之邢家渡因在河灘屢遭淹沒近年該處河道漸向北移南部已塌入水中

人民多務農及作小商業或有業船者濟陽縣臨近黃河回教人甚多物產殷實居民均善耕作教育亦尚普及其在該縣之杓子李莊薛家莊牧馬莊等村約距黃河二十里全地概爲白沙土牧馬莊附近一帶儼同沙漠寬約一公里係五六十年以前黃河決口所冲積又該縣鹽場村昔年爲鹹地產鹽故名鹽場自光緒八年鵲山西之范莊決口後大溜經此悉將鹽場變爲沙地其在此處迤上如歷城縣之前後吳寶莊張公店等村亦受是年范莊決口影響至今河槽一道猶縱貫南北以致村莊稀少間有農村亦屬窮苦不堪

黃河在章邱縣胡家莊席家莊石家莊等村之西最遠者相距不過十里五十年前黃河在王家梨行胡家岸小沙灘等處決口地方受害甚大現時之舊河形即從前決口大溜經過之處與現在黃河平行中間相距約在兩公里左右每至夏季河形中積水深約半公尺不能耕種河形兩岸大半爲飛沙有一少部分沙地其他一小部分爲鹼地出產物甚少

歷城縣之李家莊小窩莊王關莊等村一帶有溝渠灌溉稻田其水自南而北注入小清河頗資灌溉之利又王家梨行現由山東建設廳安設虹吸管以吸黃河之水淤田但現尚未放淤耳

小清河自濟南來經過圖內歷城縣之潘家碼頭出家莊簡家屯李家莊雅娑口東西朝陽莊等處以雅娑口爲中心有汽船往來交通頗爲便利

第三節　土質土產及地價

據調查所得各縣農村之土質土產地價各項依次列表如下以供參閱

黃河地形圖（圖號一一八—三六—三）各縣農村土質土產地價調查表

省名	縣名	村名	土質	土產	地價（畝）	備攷
山東	濟陽	馬營、盧家莊、單家莊、陳玉寨、小董家、張家莊、李家莊、王莊、	膠性黃土	麥、高粱、豆、穀、花生、瓜果	五十元	上列村名係擇圖中村莊之較大者列入其他從略以下倣此
	濟陽	縣城、東關、南關、西關、北關、東陳朝莊、西陳、韓莊、大姚頭、小姚頭、	膠性黃土 縣治西北五六里內沙土	麥、高粱、豆、穀、花生、瓜果、	濟陽城地約值六七十元	
	章邱	王常莊、姜家莊、卞家莊、何王莊、南李莊、小李莊、東邢莊、西邢莊、	同上	同上	百數十元（章邱以大畝論）	
	章邱	夏高莊、王家寨、南坊莊、臨集鎮、尤李莊、大老鴉李、小老鴉李、	沙土	麥、粟、高粱、豆、玉蜀黍、花生、	二十元至五十元	
	濟陽	杓子李莊、薛家莊、牧馬莊、黃家莊、范家莊、後張家莊、茅草張莊、	白沙土	麥、粟、豆、	三十元至八十元	
	濟陽	大常莊、	黑淤土	麥、豆、高粱、山芋、	五十元	
	章邱	郭塚寨、	沙地 河灘紅淤地	麥、高粱、花生、山芋、	沙地十五元至三十元河灘紅淤四十元	

章邱	于家堂、唐頭莊、劉莊、張莊、馬莊、西朱家莊、柏莊、宋莊、店子商莊、	沙土	麥、粟、高粱、花生、豆、	二十元至八十元
濟陽	鹽場村、	沙地	花生、麥、山芋、	十五元至二十五元
濟陽	大王莊、小王莊、大尙莊、小尙莊、叢家廟、孫家莊、歐家莊、鞠家寨、馮家莊、	黃土	高粱、花生、豆、麥、粟、玉蜀黍、藥品、山楂、梨、漿、	三十五元至六十元
歷城	孟家莊、辛家莊、謝家莊、北郭莊，南郭莊、李含八莊、王家合溝、	同上	同上	同上
歷城	姚家莊、	沙土及飛沙最少部分爲壤土	麥、粟、高粱、花生、豆、	三十元
章邱	胡家莊、席家莊、石家莊、胡家阜、老黃家莊、馬家莊、黃家莊、	同上	同上	同上
歷城	前吳寶店、後吳寶店、張公店、鑌店、朱莊、谷家莊、丁家屯、	北部多沙地、南部多壤土	豆、麥、高粱、山芋、	八元至六十元
濟陽	張家廟、王與莊、張仙寨、武大莊、	同上	同上	同上
歷城	清甯鎮、崔家寨、郭官寨、楊家莊、小辛莊、李大莊、	黃土	麥、高粱、粟、	三十元至一百元
歷城	太平莊、田家莊、柴家莊、	沙土	麥、黍、粟、豆、高粱、花生、	十五元至四十元

歷城	小杜家莊、郭二莊、李裘莊、	沙土	麥、粟、豆、花生、高粱、	二三十元
章邱	十八戶、張家莊、蔣家莊、劉家莊、火石莊、大郭莊、十戶、王家梨行、張家莊、	沙土	麥、粟、高粱、花生、豆、	二三十元
歷城	姚家店、靳家莊，谷家廟、趙家莊、東車王莊、南車王莊、盧家店、	沙地	豆、麥、高粱、玉蜀黍、粟、	三十元至七十元
歷城	馬官寨、李家莊、梁家莊、孫家莊、清祖寺、馮家莊、劉家莊、	黃土	高粱、麥、豆、粟、玉蜀黍、	三十元至八十元
歷城	雅留口、東西朝陽莊、大小陳家閘、陳家林、四槐閘、張趙家莊、	沙土	高粱、豆、麥、玉米、	三十元
歷城	大小辛莊、遙牆鎮、王家莊、大小李家莊、	沙土地	高粱、豆、麥、玉米、粟、	三十元至二百元
歷城	邢家渡、	河內灘係沙膠土堤外微帶鹹性	麥、豆、高粱、山芋、	四十元至七十元
歷城	堰頭鎮、	多鹹	花生、山芋、麥、	二十五元
歷城	李家莊、小窩莊、王閘莊、馬家莊、場子、周家莊、小水坡、蘇家莊、	黃土	麥、高粱、粟、豆、稻、	三十元至百餘元
歷城	潘家碼頭、	黃土	麥、高粱、豆、	四十元至九十元

縣城	曲家莊、	黃土	麥、黍、高粱、豆、	七十元至百零十元
縣城	簡家屯、江家莊、蘇家新屋頭、	鹹土	麥、玉米、黍、豆、高粱、	二十元至六十元

第三十三章 山東省濟陽縣 齊東縣 惠民縣 章邱縣幅

（圖號一一八—二七—一五）

第一節 河流與堤埝險工

黃河由南來入章邱濟陽縣界略偏西北溜射北岸羅家及鈎頭高家偏東北溜射北岸葛家店再偏東北溜射北岸龍王廟張辛莊略偏南復偏東北溜射北岸高家紙房谷莊小街子入齊東縣界其對岸即南岸著名險工梯子埽大溜至此復往東北經唐家入下圖

上述河形溜勢偏於東北故北岸險工特多南岸險工僅梯子埽一處茲將各險工情形以及防護狀況列表如次

黃河地形圖（圖號一一八—二七—一五）險工表

險工名稱	縣別	岸別	汛別	起訖地點	險工情形	防護狀況	備考
羅家	濟陽	北岸	北四分汛第二防汛	二五三、九公里至二五五、一公里	臨河大溜頂衝背河地勢低窪有積水	土埽三座柳埽四座石埽六座根石薄弱已運石增拋	
鈎頭高家	濟陽	北岸	同上	二五五、二公里至二五六、三公里	鈎頭高家上下與羅家萬家店毗連堤形坐灣溜勢頂衝近年溜雖上提工情亦未能見緩	石垛廿一座柳垛五座石埽十三座柳埽二座	

萬家店	同上	北岸	同上	二五六、二公里至二五七、〇公里	臨河堤形坐灣大溜頂衝背河地勢低窪有積水外有老圈堤	石壩四座土壩八座捶灰壩四座石垛五座	北四分段第二上汛駐在地
鐵匠莊	同上	北岸	北四分段第三防汛	二六二、二公里至二六三、一公里	臨河現二一號至二四號石壩臨水其他各埽壩均淤墊	石壩八座石垛十一座楷埽五座	
龍王廟	同上	北岸	同上	二六三、一公里至二六三、九公里	臨河坐灣頂衝	石垛四座石壩六座柳埽五座	
張辛莊	同上	北岸	同上	二六三、九公里至二六四、四公里	臨河一號至四號壩大溜頂衝背河有積水	石壩四座土壩六座卑薄殘破難禦洪流宜酌量增抛	張辛莊在龍王廟迤下十六七年以後曾淤爲平工今年河道變遷又恢復以前頂衝大溜之危急情况所有埽壩均應廂修方可抵禦大汛
高家紙房	同上	北岸	同上	二六八、七公里至二六九、六公里	臨河以前各埽壩均淤墊現至三三號至四七號各埽壩均以臨水背河有積水	楷埽六座柳埽五座柳壩四座均須拆廂方可抵禦洪流	高家紙房舊爲極險工段十六七年以後漸次淤爲平工廿二三年又刷至堤根現在溜雖不大惟舊存楷柳埽壩均朽爛無用亟應相機修理
谷家	同上	北岸	同上	二六九、六公里至二七二、〇公里	臨河埽邊大溜	新修土壩十道	
小街子	同上	北岸	同上	二七二、〇公里至二七二、八公里	臨河埽邊大溜	土壩二座石壩五座	小街子舊爲平工大堤距河極遠廿年後河道北滾漸近堤身預修壩基七道經抛廂者六道
唐家	惠民	北岸	北五分段第一防汛	二八二、〇公里至二八二、四公里	臨河溜勢埽邊	石壩一座楷埽一座柳埽一座灰壩一座	唐家爲著名極險民國十年秋河水盛漲大溜洶湧埽走堤塌幾至潰決幸拚力搶護轉危爲安現在水流下移工情亦較前略緩

唐家東	同上	同上	同上	二八二、四公里至二八二、九公里	臨河上首低水時期有新灘寬十餘公尺	秸埽十四座秸壩四座石壩一座石埽二座	唐家東位于唐家李家之間唐家溜勢下挫後該工異常吃緊
李家	同上	同上	同上	二八二、九公里至二八三、七公里	臨河溜勢頂衝背河地勢低窪	石壩十二座石埽二座土壩二座秸埽三座	李家與唐家東險工毗連近年河水逐漸下移至工埽壩皆甚吃緊
董家	同上	同上	同上	二八三、七公里至二八三、九公里	臨河溜勢猪邊緊迫壩根背河有堤地勢窪下多積水	秸埽七座均為昔年頂衝大溜時所廂修現已朽爛殘破	董家在李家迤下二十二年後河水始迫近堤身
梯子壩	齊東	南岸	南三分段第一防汛	三二七、五公里至三二七、六公里	梯子壩即特長壩基之謂以其窄長如梯形故名壩頭河口頂衝上口壓力旋溜淘刷甚腐	石埽一座柳埽四座上首柳埽多係近年添修根基未固	梯子壩原長二公里餘相傳初修時為保護齊東縣城之用嗣以防守困難屢後退初修目的不能達到

清光緒十二、十八、十九、廿四、廿九年黃河連年在王家圈張辛莊桑渡等處決口所有濟陽縣之馬家窪崔家樂艫莊以及惠民縣之黃辛莊唐家等村均受波及損害極大計各村淤高土地至今猶有二公尺餘而齊東縣之舒家董家等村亦于此次同遭淹沒至今淤沙遍地良田一變而為荒沙矣

齊東縣之曹家碼頭李家碼頭一帶亦於清光緒年間先後潰決數次舊有河道至今尚有顯著遺跡所有當時各村土地現已咸為一片沙鹹惟黃河西移距故道頗遠耳

第二節　地方概況

本幅圖內縣屬各村居民習尚樸素勤于耕種農村經濟尚能維持惟齊東縣之曹家碼頭李家碼頭等處因地土悉為沙鹹產量甚微故人民較為貧苦濟陽縣之姚家集安子坡齊家閣新桑家渡周家等處每村皆有小學尤以短期學校為多教育尚稱普及民智亦較開通為他處所不及

第三節　土質土產及地價

據調查所得各縣農村之土質土產地價各項依次列表如下以供參閱

黃河地形圖（圖號一一八—三七—一五）各縣農村土質土產地價調査表

省名	縣名	村名	土質	土產	地價（畝）	備考
山東	濟陽	馬家洼、李家、崔家寨、任家、扈家、曹王莊、	沙土	麥、高粱、豆、花生、	廿元至卅五元	上列村名係擇圖中村莊之較大者列入其他從略以下倣此
	惠民	黃辛莊、唐家、孫家、鄭家、許家、小蘇家、任家、	同上	同上	同上	
	濟陽	王家、李胡同、唐家、小廟子、劉家台子、程家寨、大柳樹、小王家、大馬家、小馬家、	黃沙土	麥、高粱、豆、穀、瓜果、	七八十元	
	濟陽	郭家油房、傅家、王大溝家、江家銀匠家、老鴉張家、鞠家、陳家、官道、王家沙窩、	砂土	麥、粟、高粱、番薯、花生、	十五元至六十元	
	濟陽	新桑家坡、周家、候家、張家、魏家、馬家、石家碼頭、劉王莊、高家、	沙土	麥、豆、高粱、粟、棉、花生、山芋、東部多植柳用以編爲農具	沙土二元至二十元土質含沙二十元至三十五元	
	惠民	商家、鄭家、舊唐家、岸頭寺、簸箕李家、小舒家、董家、趙家坊、高家、	同上	同上	同上	

齊東	趙宗、小陳家、遂家、遂家油房、遂家垮上、單家、榆林鎮、	同上	同上	同上
濟陽	姚家集、安子坡、齊家、閻家、王家、陳家、黄家、白家、朱家、何家舖、胡家、沈家、	膠性黄土	麥、高粱、豆、穀、花生、	四十元至百餘元
濟陽	萬家、趙家、劉家、曲堤、薛家、池家、官家莊、安家、修家、呂家、	淤沙土	豆、麥、棉、高粱、	六十元
濟陽	李王家、楊家、于家、蕭家、畢家集、張家、站家、盧家、武福家、	淤沙土	豆、麥、棉、漿、	五十元
齊東	時家圈、高家圈、	黄土	麥、豆、高粱、穀、	七十元至九十元
濟陽	鞠家、西張家、翟家、朱莊，前喬巷、後喬巷、董家莊、朱莊、晉莊、大牛李莊、	同上	同上	同上
濟陽 惠民 齊東	桑渡、劉王莊、唐家、郭家寺、小方家、張寶石家、孫家、蕭家、小高家圈、	淤沙土	豆、麥、高粱、花生、	四十元
齊東	八里鋪、魏家莊、常莊、田莊、楊家莊、	淤沙土	豆、麥、棉、花生	四十元
齊東	邵家、張家隍、官橥、羅四莊、魏家、劉先生莊、豆八莊、馮家廟、	淤土	豆、麥、穀、高粱、	六十元

濟陽	小新莊、胡賢家、小油坊、沙窩、李家、魏家園、三高家、大田家、小田家、	淤沙土	豆、麥、棉、高粱、	七十元
濟陽	前新莊、馬家、趙家、五李家、小任莊、徐家漘、華仁店、裴張家、郭家店、	淤沙土	豆、麥、穀、高粱、菽、	八十元
濟陽	直河、崔家、趙家、徐家漘、馬家、水平王家、鉄匠家、東李家、小劉家、王家、周候家、	黃土含沙甚多	麥、高粱、豆、穀、玉蜀黍、	三十元至六十元
章邱	大寨、東新街口、西新街口、楊家、新王莊、田家、谷家、唐工家、	同上	同上	同上
齊東	小楊家、	同上	同上	同上
齊東	仁和莊、馬家莊、高家莊、張家橋、薛延、安鎮、谷王莊、邵家莊、曹廟、	黃土	麥、豆、高粱、穀、	四十五元
濟陽	馬家渡、韓家寺、韓家紙房、高家紙房、趙家紙房、	同上	同上	同上
章邱	谷家莊、田家莊、	同上	同上	同上
齊東	小牛王莊、高莊、小時家園、路安鎮、時家園、陳家寨、徉李莊、	黃土	麥、豆、高粱、穀、	一百二十元

縣	村莊	土質	出產	地價
濟陽	劉家台、五里廟、馮莊、郭莊、劉莊、閻莊、王莊、	淤土	豆、麥、穀、高粱、韭、	五十元
濟陽	白楊店、小李家、裴家、鋪馬聯、趙家、孟家窪、	淤土	同上	六十元
濟陽	孟家窪、大官莊、小官莊、闞家坊、苟王莊、八里莊、董家道口、戴家、	淤土	同上	七十元
章邱	北李家、張虎店、謝楊家、宋王莊、	同上	同上	同上
章邱	穆家莊、毛家店、花紅莊、見家寨、南莊、呂家、大姑寨、小姑寨、杏院、	淤沙土	豆、麥、穀、高粱、	四十元
章印	劉田莊、家姑菴、范家、趙家、陳家、			
齊東	劉平莊、馮王莊、小寨、西劉寨、還家鄉、	沙土	豆、麥、花生、	十餘元
章印	無莊、			
齊東	曹家碼頭、李家碼頭、胡家坡、任莊、牛家坊、	沙鹹地	麥、高粱、豆、穀、果木、	二十元左右多至三十餘元

第三十四章　山東省　惠民縣　青城縣　濱縣　齊東縣　青縣　蒲台縣　高范縣　鄒平縣　幅

（圖號一一八－三七－一六）

第二節 河流與堤埝險工

黃河由西南來入惠民齊東縣界往東北流溜射北岸小常家稍偏南復往東北溜射南岸禹王口轉正北入青城縣界經王爪家閻家溜射歸仁鎮復偏東北側注楊坊家王家集劉家口再往東北溜射白龍灣溜勢至此改向東南經清河西轉正東溜射邵家復偏東南經薛家小崔家大崔家大崔家東

此段河形仍偏東北流故北岸險工較多南岸險工僅禹王口一處（參看下表）又南岸大堤多有民房建築其上雖係背河究於河防有礙聞前山東河務局曾一度籌畫折出此項民房惟其遷移費頗鉅因是中輟云

黃河地形圖（圖號一一八－三七－一六）險工表

險工名稱	縣別	岸別	汛別	起訖地點	險工情形	防護狀況	備考
常家	惠民	北岸	北五分段第一防汛	二八八、五公里至二八九、四公里	臨河溜勢甚急背河地勢窪下無隔堤亦無積水	石埽十四座石埽七座柳埽一座土埽五座	常家險工舊多稭埽現已改修石工水流順適十數年尚無特殊變化
王爪家	惠民	北岸	北五分段第一防汛	二九六、三公里至二九七、一公里	臨河溜勢下移背河有積水無套堤	灰埽一座土埽三座稭埽卅五座柳埽二座石埽六座石埽十一座	王爪家原距河二里有奇十四年秋汛水盛漲大溜洶湧河岸陡塌不已三四日間河槽即迫近堤身幸料物應手得免害外嗣後逐漸廂拋始略見鞏固
小閻家	惠民	北岸	北五分段第一防汛	二九七、一公里至二九八、〇公里	臨河水溜漸次迫近堤身背河積水並無套埝	現修土埽五座柳埽一座必要時再續做裹頭	

地名	縣	岸	段汛	里程	形勢	工程
歸仁鎮	惠民	北岸	北五分段第九防汛	二九八、〇公里至二九八、五公里	臨河河溜頂衝背河低窪積水土係沙質並無附堤	稭埽十座石埽八座石壩三座共計廿二座均係以前極險時代修築所有危埽頭應折廂方可低禦洪流
楊坊家	惠民	北岸	北五分段第二防汛	三〇一、七公里至三〇二、六公里	臨河雖係順流水勢甚急各埽前均見大溜背河卑窪積水並無套堤	土埽一座石壩三座柳壩一座石埽十五座柳埽一座
王家集	惠民	北岸	北五分段第二防汛	三〇三、二公里至三〇三、六公里	臨河雖係順溜大汛期內溜仍洶湧背河卑窪積水無套堤	石壩八座稭壩一座石埽三座稭埽四座
劉家口	同上	同上	同　上	三〇三、七公里至三〇四、四公里	臨河雖係順溜大汛期內各埽前溜勢仍甚洶湧背河卑窪積水並無套堤	石壩十座石埽六座稭埽二座柳埽一座
白龍灣	同上	同上	同　上	三〇九、一公里至三一〇、〇公里	臨河坐灣頂衝背河卑窪土係沙質無套堤	石壩二座石埽十九座稭埽一座尚屬堅實
清河西	同上	同上	同　上	三一〇、〇公里至三一一、〇公里	臨河均係順溜大汛溜勢仍甚洶湧背河卑窪土係沙質無套堤	石壩三座石埽十座尚屬堅固
卲家	同上	同上	同　上	三一五、五公里至三一六、二公里	臨河坐灣頂衝溜勢洶猛背河卑窪有積水無套堤	石壩三座石埽二十座
薛家	同上	同上	同　上	三一六、二公里至三一六、五公里	臨河大溜紋邊背河地勢低窪	稭壩四座稭埽一座石埽一座
小崔家上首	同上	同上	同　上	三一八、五公里至三一八、九公里	臨河淤灘背河卑窪有積水無套堤	石壩五座

歸仁鎮舊爲極險工段十四年王瓜家河形陡變後該工漸次淤墊新淤灘上所栽柳秧已蔚然成林奈近年以來王瓜家工程甫修堅固大溜又逐年下挫漸衝歸仁鎮

小崔家	同上	同上	同上	三一八、九公里至三一九、二公里	臨河均係順溜大汛時溜勢甚急背河卑窪有積水無套堤	石埽一座石垛二座秸埽十一座	
大崔家	同上	同上	同上	三一九、二公里至三一九、九公里	臨河水有小淺灘大汛期各埽均着溜背河卑窪有積水無套堤	石埽三座秸垛五座柳埽二座秸埽八座柳垛二座	
大崔家東	同上	同上	北五分段第三防汛	三一九、九公里至三二〇、四公里	臨河河形正直水流順適背河堤根低窪存有積水	石埽一座秸埽三座柳埽二座	
禹王口	齊東	南岸	南三分段第一防汛	三四七、七公里至三四八、二公里	禹王口爲近年新險河形坐灣溜勢提挫未定	土埽四座石埽四座各埽全係新修根基未固現正繼續修拋中	禹王口在對岸常家與王瓜家之間原距河一公里有奇二十年左右河身逐漸南滾遂成險工附近預修埽基八道經連年拋修四道暫可無虞矣

第二節　水利建設述要

山東省政府建設廳在黃河南岸大堤齊東縣趙王莊小石莊一帶設有虹吸管一處並挖洩水渠一道深二公尺以便放淤繼又就該渠分挖南北兩支渠背展轉歸入小清河每歲夏秋之交由黃河放來之水依渠形散佈附近沙地使漸次汎熱變爲淤地

第三節　地方概況

本幅圖內縣屬各村居民均勤于耕種地方平靖河患極少齊東縣之劉家鎮王恆家青城縣之沙李莊北楊家等村雖土地磽瘠但自作自食尚能維持該處土質因係沙土植桑樹者甚多聞較其他農產品獲利豐厚各縣鄉村教育亦屬普及如惠民縣之大商家李自實家及齊東縣之舊齊東郭家校廠等村凡居民有五六十戶之村莊殆均有學校之設立故男女識字者頗多

第四節　土質土產及地價

據調查所得各縣農村之土質土產地價各項依次列表如下以供參閱

黃河地形圖(圖號一一八—三七—一六)各縣農村土質土產地價調查表

省名	縣名	村名	土質	土產	地價(畝)	備考
山東	惠民	陳大掛家、張楊二莊、常家鋪上、西牛家張家、宋家、田家集、屯里路、姜家、彭家、馮家、	沙淤土	豆、麥、穀、高粱、	三十元	上列村名係擇圖中村莊之較大者列入其他從略以下倣此
	同上	東牛家、小徐家、燕里店、長宋家、李龍王家、閆翟莊、大王莊、大路莊、國路家、花里家、孟家、朱家、郭翰林家、大劉家、	淤土	豆、麥、穀、高粱、棉、	三十元	
	同上	任家、劉家口、南北李莊、穆王莊、王家集、小王家、曲家、潘家、楊均家、龐家、車子李家、中王莊、李安子家、張佩壤家、歸仁鎮、	沙土	麥、高粱、豆、穀、桑條、	四五十元	
	青城	梨行董家、西孟家口、雜姓劉家、孟家口、楊家郭、大坊家、商家、前楊家坊、西官家、連五莊、王老善家、張王莊、邵家、齊家、	同上	同上	同上	

同上	小清河鎮、傅家海窰、干河溝、張家、劉家、、竇家、高家、費李家、侯家、周家、黃茂李家、草店、來家、商家、朱王莊、靳家、	淤土	豆、麥、高粱、棉、	五十元
同上	李家集、徐家、辛莊、毛頭王家、長官店、丁廟、田家、盧家莊、杜家、棉花李家、	淤土	豆、麥、穀、高粱、棉、	六十元
同上	北辛莊、董家溝、	沙土	豆、麥、柳條、	二十元
同上	郭家、逯家台子、大杜家、鄭家廟、唐元家、遼家、孟家堡、	黃土	棉花最多高粱次之穀豆最少	自六十元至一百二十元
濱縣	踏鼓張家、南北段家、後孫家、	同上	同上	同上
濱縣	三合店、大李家、大盧家、薛岳家、賈許鎮、程家、劉王莊、趙家、張木匠、賈家、艾李莊、	紅土	美棉、高粱、穀類、豆類、	二十元至五十元
蒲台高苑	傅家、朱家、	同上	同上	同上
蒲台	樊家、張道傅家、彭家、河溝、趙家、包福李家、灌家、	黃土	棉花、高粱、穀、豆、	九十元至百數十元
惠民	梁家、張王莊、馬家、武家、王錫池家、張科王家、李木匠家、謝郭家、朱家、任家、韓家、蔣家廟、程家、許家鋪上、	沙土	豆、麥、棉、	三十元

同上	陳王家、蒞家、馮家、小劉家、李家坊子、張立權家、呂家玉皇口、毛家、大年鄭梁家、	淤沙土	麥、穀、高粱、	四十元
同上	歸仁鎮、閻家、	大部爲沙土	豆、粟、高粱桑條、爲大宗麥棉次之花生山芋又次之、	東北部每畝四十元至八十元中南部每畝三十元至七十元
青城	青城縣、高家、豆腐陳家、三里莊、玉皇廟、長里莊、劉茹家、耿家、趙家、石家、周家、	同上	同上	同上
齊東	齊東縣、石家、趙王家、小吳家、毛家、許家、廟、胡家、張漢臣家、小馬家、官道魏家、	同上	同上	同上
青城	大田莊、豆腐陳家、三里店、鈎魚台、紀家莊、大范莊、小范莊、新莊、胥家莊、柳烟村、	兩合土	麥、豆、高粱、穀、	五十五元
濱縣	田鎮、石坡莊、台子、孫阮家、王鳳家、周家、	黃土	棉花最多高粱次之穀豆最少	六十元至一百元
鄒平	沙高家、石槽村、侯家坊、南徐家、馬家、	同上	同上	同上
青縣	義和鎮、八品莊、成家、閏宅、王天佑家、	同上	同上	同上
高苑	殷家莊、富家莊、大官莊、大莊、杜家、前苗家、後苗家、	鹹性沙土	美棉爲大宗次爲高粱豆類	二十元至五十元
濱縣	史家、趙家、雙廟、劉家、朱家、	同上	同上	同上

蒲台	董家、傅家、王家、傅家、	同上	同上	同上
齊東	舊齊東、郭家、校廠小喬、董家莊、潘家莊、三里莊、何家莊、小王莊、大王莊、紀家莊、	灘地多膠泥	麥、高粱、穀、豆、花生、	黃河南岸每畝六七十元北岸四五十元
惠民	大高家、李自賢家、楡林鎮、胡家閣、尹莊、張官莊、常家莊、張美家、前段莊、後段莊、	灘地多膠泥	同上	同上
青城	沙李莊、北揚家、郗家、崔家、潘家、魏莊、張家、畢家、小王家、韓公顏家、王仮家、	沙土	麥、高粱、豆、穀、花生、桑條、	二十元至四十元
齊東	劉家鎮、王仮家、楊家、長里莊、崔家莊、潘家莊、郭家莊、沙李莊、孟家、郗家、小乙家、	同上	同上	同上
齊東	燒窰李家、繩子劉家、台子街、長福街、城關莊、盛家莊、常家、常家道口、董家莊、	淤黃土及黃土	麥、豆、高粱、棉、粟、	灣地十五元至二十五元堤外二十五元至四十五元

第三十五章　山東省　濱縣　蒲台縣　惠民縣　青城縣　幅

（圖號一一八—三七—一二）

第一節　河流與堤埝險工

黃河由西南來入濱縣界經北岸五楊家往東北流折而正東溜射北岸趙家壩馬張家轉向正南河形垂直溜射南岸蝎子灣偏東溜射南岸劉春莊偏東北溜射北岸張肖堂再偏東溜射南岸大道王家溜勢至此斜向東北入蒲台縣界轉正東溜射南岸道旭入下圖其南北兩岸險工情形以及防護狀況等項如下表所列

黃河地形圖(圖號一一八—三七—(二))險工表

險工名稱	縣別	岸別	汛別	起訖地點	險工情形	防護狀況	備考
五楊家	惠民	北岸	北五分段第三防汛	三二五、九公里至三二六、一公里	河道順直	土壩四座	五楊家一帶原為平工二十年後河道北滾漸近堤身現河形順直工情未十分嚴重
趙家壩	濱縣	北岸	北五分段第三防汛	三三二、八公里至三三四、六公里	臨河坐灣大溜提挫不定背河堤根低窪存有積水	土壩五座石壩十九座	趙家壩原為平工因溜下擱河老灘土質堅硬冲刷困難致激溜北趨刷成坐灣廿二年拋修石壩十餘道繼又續修現已有石壩二十四道惟新工根基薄弱且水溜提挫不定心須運石增拋並添修新壩方可無虞
馬張家	濱縣	北岸	北五分段第三防汛	三四一、〇公里至三四二、〇公里	臨河坐灣頂衝背河堤根積水	石壩一座石埽九座	
張肖堂	濱縣	北岸	北五分段第三防汛	三四二、〇公里至三四二、六公里	臨河中洪順溜背河堤根有積水	石壩三座石埽九座	
蝎子灣	濱縣	南岸	南三分段第三防汛	三七九、八公里至三八一、八公里	堤形坐灣水溜頂衝背河地勢低窪有積水	石壩十七座石埽廿七座稭埽十座稭埽二座柳壩三十座柳埽二座	蝎子灣為多年著名極險民初曾由省府撥發特款從事興修大致尚屬堅固

劉春莊	濱縣	南岸	南三分段第三防汎	三八一、八公里至三八二、八公里	臨河大溜頂衝背河一帶葦塘歷年有水無圈堤	石埽廿八座稽埽八座柳埽一座土埽一座	
大道王莊	濱縣	南岸	南三分段第三防汎	三九一、六公里至三九二、七公里	臨河坐灣頂衝溜勢上堤背河一連葦塘歷年有水無圈堤	土埽五座石埽八座稽埽十座柳埽二座	對岸迤上卽北岸之張肖堂險工
麻家	蒲台	南岸	南四分段第一防汎	四〇〇、六公里至四〇一、〇公里	臨河水溜甚急並有下挫趨勢背河低窪有積水無圈堤	石埽一座稽埽四座柳埽十五座	二十年前水溜屢向上提現在又復下挫
道旭	蒲台	南岸	南四分段第一防汎	四〇一、〇〇公里至四〇二、〇〇公里	臨河水溜甚急並有下挫趨勢背河低窪有積水無圈堤	石埽十三座稭埽六座柳埽十三座	石埽十餘段均係近數年新修南四分段第一防汎駐在地

上述河流除黃河外有沙河徒駭河據當地人云沙河爲昔日運粮故道今已失其河形至變遷年月已無可考證徒駭河係時令河每當夏秋多雨之際山洪暴發水勢洶湧時有漫溢之患曾由本會疏濬河槽近年來夏季水流頗暢

第二節　地方概況

各縣農村民風樸素勤于耕種除務農外如惠民縣之淸河鎭蒲台縣之張家集藍家等村居民間有經商及操船爲業教育頗不振人民智識低陋守舊性甚強惟惠民縣之趙家王家小田家申家等村近年來地方頗安靖教育尚稱發達每村有初級小學一所

第三節　土質土產及地價

據調查所得各縣農村之土質土產及地價各項依次列表如下以供參閱

黃河地形圖（圖號一一八—三七—一二）各縣農村土質土產地價調查表

省名	縣名	村名	土質	土產	地價（畝）	備考

山東	濱縣	高家、小王家、里則鎮、小吳家、小王家、尤家、朱于家、鎮孫家、馬家、丁昌孫家、李扎根家、許家、蘇家集、	沙土	棉、高粱、小米、豆、麥、	七十元	上列村名係擇圖中村莊之較大者列入其他從略以下做此
	濱縣	韓家坊、胡家、東西李家、任馬莊、徐家、魏家、馬坊、于家、鴨子劉、小張家、	除大堤以南係沙土外餘均係沙淤土	棉、豆、小米、高粱、麥、	五十元	
	惠民濱縣	劉阮寺、三家趙、甘羅庵、桑家、粉曹家、張家集、任陳家、劉家店子、蔣家莊、陶堤口、張友高莊、吳家、	沙土	高粱、豆、棉、小米、	三十元	
	濱縣	崔涼家、三角王家、殷家、蔡家、呂大占家、丁放盆張家、高家集、張思安家、紅廟、	黃土	棉花最多高粱次之穀豆最少	一百元至一百四十餘元	
	濱縣	蕭家集、梁門、大道王、張皂戶、趙四勿、安平鎮、小街、	堤內沙土 堤外鹹土	高粱、豆、穀、棉花、麥、	二十元至三十元	
	蒲台	林家、大張官、趙桐家、				
	惠民	趙家、王家、小田家、申家、田家、史家、屯裏馬家、崔家、謝家、袁家、孟家、站案鎮、	普通含沙東北部黃土	麥高粱爲大宗豆粟棉次之花生又次之	含沙地七元至三十元黃土地二十五元至四十元	
	青城	潘李家、白龍灣、謝李家、趙家、滿裏王家、周家、馬家、郭家、銀匠家、粉劉家、	黃土	麥、豆、高粱、棉花、	北大堤東六十五元灘內四十元	

惠民	張叢集、崔家、馬家口、狗皮蕉、蘇家、楊村集、北呂家、南呂家、杜家、申家橋、關家、	同上	同上	同上
惠民	清和鎮、賈家、東小莊、孫家、協利家、崔家牛家、薛家、李家、邵家、堤上劉家、	淤沙	麥與高粱為大宗豆玉蜀黍及粟出產亦豐	二十元至三十元最佳之淤土三十五元至四十元
青城	小清河、杜家、李家集、	同上	同上	同上
惠民	譚梁二許莊、丁河圈、大小崔家、曹賈二莊、靳家、孫家、譚家、四家、楊家、	黃土沙土	高粱、豆、棉花、麥、	三十元至四十元
青城	雙廟楊家、官家、粉李家、大楊家、王家、寺、小楊五莊、瓜地李家、李家、藥王廟、	同上	同上	同上
濱縣	老君堂、邢叢家、五楊家、魏家、翟家寺、張王莊、趙李莊、圈李王家、閘河莊、	同上	同上	同上
蒲台	張家集、薩家、勾石孫家、院家、尹家、孫家、鄭家、旂家、劉漆莊、楊家鋪、	北岸黃土南岸鹹土	麥、高粱、棉花、穀、豆、	五元至六十元
濱縣	馬頭莊、張毛家、小趙家、吳家、秦襄孫、尉家口、索家、桃花趙、菜園王家、	沙淤土	麥、豆、小米、棉花、高粱、	五十元

蒲台　許家莊、于張家、石廟于、王官家、寺後于、祁家、溫家、馬家、史家、翟劉莊、　同　上　同　上　同上

第三十六章　山東省　蒲台縣　博興縣　廣饒縣　濱縣　利津縣　霑化縣　幅

（圖號一二〇—三七—九）

第一節　河流與堤埝險工

黃河由蒲台縣東來經道旭向東北折向正東略偏東南溜射南岸馮家王旺莊偏東北轉向正北入利津縣界溜射北岸甲堤尾（按甲堤尾在宮家之上相距半公里亦爲險工之一以該處無村落故圖內無此名）及宮家轉東北溜射南岸閻林家及閻董家再轉正北溜射北岸孫家大馬家三不趕張家灘等處轉向東北溜射南岸閻家王莊卞家莊入下圖

宮家曾于民國十年決口爲上海美商亞洲建築公司承辦堵築用費一百五十萬元該處工程係於口門之外挑挖引河另建丁壩挑溜以分其勢俾潰口水流漸弱然後築壩塞決工成之後即以引河爲正河並利用引河挖出之土築北岸新堤故甚高厚今已改守新堤而舊堤漸圮廢矣外人承辦黃河堵口工程自此始老堤新堤相接處爲溜勢所趨向沿堤築有石壩及楷埽等工（參閱下表）

黃河地形圖（圖號一二〇—三七—九）險工表

險工名稱	縣別	岸別	汛別	起訖地點	險工情形	防護狀況	備考

甲堤尾	利津	北岸	北六分段防二汛	三七五、〇〇公里至三七六、〇〇公里	甲堤尾舊爲著名極險稭埽林立抛護尚稱穩固年來大溜外移埽前落淤工情見緩	稭埽七段石埽七段	
宮家	利津	北岸	北六分段防二汛	三七六、六公里至三七七、一公里	宮家險工當大溜之衝共修稭石等埽十八段背河有圈堤	稭埽十一段石壩七段	北六分段第二防汛駐在地對岸迤下即南岸之閻叢家險工
孫家	利津	北岸	北六分段防二汛	三八三、三公里至三八四、〇公里	孫家爲著名極險背河地勢低窪有積水臨河有稭石埽十五段廿二年後大溜下移埽前均已落淤	稭埽八段石壩護沿六段土壩一段	
大馬家	利津	北岸	北六分段防二汛	三八四、〇公里至三八四、四公里	大馬家在孫家下首大溜頂衝背河地勢低窪有積水臨河修稭石埽壩二十座	稭埽十七段石壩三段	大馬家爲數十年來著名極險工段綿長稭埽林立十五年後大溜年年上提工情隨之漸緩至十八九年大溜即提衝孫家大田家一帶廿二年夏汛水盛漲大溜突然下挫大馬家北六分段段部附近埽走堤塌危險萬分經月餘始搶護平穩北六分段駐在地
三不趕	利津	北岸	北六分段防二汛	三八四、四公里至三八五、〇公里	此工舊爲極險十六年以後大溜上堤漸成平工廿二年大溜下挫又復原狀形勢日趨嚴重	全工有石壩護沿九段稭壩一段大半卑薄殘破亟待添石抛修	
張家灘	利津	北岸	北六分段防二汛	三八六、一公里至三八六、二公里	此工舊日爲極險之一與三不趕相毗連十六年後同時淤成平工近年溜勢下挫又復原狀	全工有新舊稭埽四段石壩九段均卑薄殘破亟待修整	

馮家	蒲台	南岸	南四分段第二防汛	四一〇、九公里至四一一、五公里	臨河溜急背河地窪有積水無圈堤	石垛四座楷垛卅一座	
王旺莊	蒲台	南岸	南四分段第二防汛	四一一、五公里至四一二、五公里	臨河水溜甚急背河地窪有積水無圈堤	石壩三座石垛四座楷垛三十座楷壩四座	南四分段駐在地
閻薹家	蒲台	南岸	南四分段第二防汛	四二一、六公里至四二三、九公里	洪水時期埽根可見漫水低水時期臨河灘窯水者約長十三四公尺	石壩六座舊有楷垛十二座	閻薹家舊爲極險十六年以後大溜靠近北岸南岸漸次淤塞楷石埽壩多被淤沒
閻林家	蒲台	南岸	南四分段第二防汛	四二二、九公里至四二四、一公里	臨河水溜甚急背河地勢低窪無積水亦無圈堤	石壩四座土壩八座	閻林家舊爲極險十六年後與閻薹家淤爲平工近二三年來大溜南移又恢復以前險要狀況
閻家	利津	南岸	南四分段第三防汛	四三三、〇公里至四三三、三公里	臨河水流甚急並有上提趨勢背河地勢低窪有積水及殘破圈堤	楷垛十六座尚整齊惟根石太少猶須添石拋護	閻家亦多年著名極險清光緒末年曾屢次發生大險現在險工以下所守大堤即當年搶險時大堤被水冲斷後退修圈堤
王莊	利津	南岸	南四分段第三防汛	四三三、七公里至四三四、二公里	臨河水溜甚急背河地勢低窪有積水無圈堤	楷壩一座楷垛十七座	
卞家莊	利津	南岸	南四分段第三防汛	四三六、六公里至四三七、五公里	臨河水溜甚急有上提趨勢背河低窪有積水無圈堤	石壩二座石垛十二座楷垛六座	此工對岸即北岸之綦家嘴險工

第二節　地方概況

蒲台縣之官莊劉王莊機匠楊家王家博興縣之史家十三閻魏家等村人民多以種植爲業該地土質肥沃生產豐富近年政府提倡種植美棉獲利甚厚故以產棉花爲大宗其餘各縣農村土地大半土質劣下收獲不豐文化亦屬底落如利津縣之大蓋家大王

家等村以曾受宫家壩決口影響至今白沙一片不能耕種居民窮困流離

第三節　土質土產及地價

據調查所得各縣農村之土質土產地價各項依次列表如下以供參閱

黄河地形圖（圖號一二〇—三七—九）各縣農村土質土產地價調查表

省名	縣名	村名	土質	土產	地價(畝)	備考
山東	霑化	柳行、高家、陳家莊	西北部飛沙土、東南部沙土、	麥、花生、高粱、棉、豆、	西北部十元東南部三十元	上列村名係擇圖中村莊之較大者列入其他從略以下仿此
	利津	桑米馬家、稍管、李家莊、張家莊、十里鋪、朱家莊、東魏家、彭家、宋莊、尹王莊、趙莊、店子、姓宿高家、	同上	同上	同上	
	同上	大官莊、左王莊、小官莊、董家集、車家莊、東清河、胡家莊、劉家莊、	沙土	豆棉花爲大宗麥及高粱間或有之	四十元	
	廣饒	楊家、吳家、辛店、哨頭、唐家、神樹坡、趙家、東營、西營、呂莊、南莊、	西部淤土東部土質略帶鹽鹼	豆爲大宗棉麥高粱次之	西部二十元至卅五元，東部十五元至廿元	
	濱縣	張家、古家、馬店、小李家、梨園張、毛里莊、大王家、小牛家、大趙家、楊萊家、	西部沙淤土東部沙土	麥、棉、高粱、花生、豆、小米、	西部約五十元東部約三十元	

利津	張古婁、翟家、任家、吳家、單家、小劉莊、金馬家、前後王古莊、大牛家、賈家、韓家、	同上	同上	同上	
同上	大蓋家、大王家、大胡家、小郭家、孫家、道安莊、	飛沙	豆、花生	六元至廿元	
同上	蓋家、張家、鄭家、小王家、石家、邱家、崔家、	沙土	豆、高粱、棉花、	五十元至一百元	
蒲台	曹家、李家、羅家、繆家、十五岡、	同上	同上	同上	
同上	岳家、候家、孟家、邵家、于沙窩、郝家、十八王家、宮家、	黃土及沙土	棉、高粱、玉黍、花生、	二十元至一百六十元	該處每畝爲八百一十四方步
博興	三里莊、薛莊、小趙莊、大趙莊、范家、孫家、董店、八里莊、	同上	同上	同上	
利津蒲台濱縣	瓦屋李、刁石李、朱家集、馬店、朱家灘、郭口牛、黃莊、石門、	沙土及黃土	麥、豆、棉花、高粱、	六十元至一百六十元	該處每畝爲三百六十方步
蒲台	龍居店、十四圖楊家、寺前楊家、雙廟楊家、高家、韓家樓、史家、小麻溝、大孫家、	砂土	高粱、穀、豆、棉花、	自十餘元至五十餘元不等	
濱縣	董家莊、小梅家、李家、杜家、高家、北鎮郝家、王家、郭家、蘇家、賈家、孟家、雷家、孫家樓、	沙淤土	豆、麥、高粱、棉花、	七八十元	

蒲台	石門亭、楊家廟、彭家、大劉家、陳家、金卜莊、馬官亭、小部家、小王莊、大王莊、密桑行、蒲台縣城、紙坊、三里莊、	同上	同上	六十元	
同上	雙台、十三莊、玉皇堂、	鹹土沙土黃土	麥、豆、高粱、棉花、	十元至一百六十元	上列各村每畝以七百二十方步計算
同上	三岔曹家、蕭家、于家、南賈王、北賈王、趙家寨、蓋家、樓張莊、魏家、黃家、三岔高家、	堤北近河為淤土堤南多鹹土	高粱、麥、豆、棉花、		
蒲台博興	官莊、劉王莊、崔家寺、徐家、史家、十三岡、魏家、	紅土及鹹土	高粱、麥、豆、棉花、	五十元至一百四十元	上列各村地畝每畝以七百二十方步計算
蒲台	朱全鎮、牙店、張道家坡、趙家、許王莊、十里鋪、卜家台、西劉、	黃土	高粱穀豆最多棉花最少	二十餘元至八十餘元	
同上	東高牛莊、邵家、小韓莊、張王莊、劉湯家、宋家、楡林鎮、前劉家、馬家、黃王家、平王莊、守義李、潭家、辛店、	沙淤土	棉、小米、麥、豆、	二十元	
同上	常莊、洛車李莊、甯家、木王莊、繩王莊、大莊、小大莊、相城莊、	沙土及紅土含鹹性	高粱、麥、豆、棉花、穀、	五十元至一百五十元	上列各村地畝每畝以七百二十方步計算
博興	朱莊、李家莊、劉家窩頭、	黃土	棉花最多高粱次之穀豆最少	自六十元至一百元	

縣名	村名	土質	土產	地價(畝)	備考
蒲台	三教堂、只窩頭、	同上	同上	同上	
同上	機匠楊家、王家、蘇王廟、齊家、王樓、舊鎮、博王孫、魯家、楨子張、周寶店、	沙質壤土	棉花、穀子、高粱、麥、豆、	二百元至四百元	上列各村地畝每畝以七百二十方步計算
蒲台博興	齊家、潘王莊、李官家、雙廟、大營、張官莊、李家、劉家、邢家、官家、晉家、張宋家、孫家莊、李家、許雲窩、樂王莊、	沙淤	棉、小米、麥、豆、高粱、	西南部約一百元餘均約二十元	

第三十七章　山東省廣饒縣壽光縣幅

(圖號一二〇—三七—一〇)

本幅圖內有黃河故道及小清河均距黃河今道甚遠壽光廣饒二縣以地近海濱海潮可沿溝渠而上故在圖內未墾植之地頗多間有能耕種者出產極微村莊亦極稀少惟以海潮時至產鹽頗富壽光縣之羊角溝地居小清河南岸其西南一帶即多鹽坨聞每年出產量有數百萬元之鉅在數十年前該地極爲繁榮今已漸次蕭條矣又其地漁船頗多當地居民即以漁鹽二業維持生活無其他農作云

據調查所得本幅圖內各縣農村之土質土產地價除未墾植者外餘依次列表如下以供參閱

黃河地形圖(圖號一二〇—三七—一〇)各縣農村土質土產地價調查表

省名	縣名	村名	土質	土產	地價(畝)	備考

省別	縣別	村名	土質	出產	地價	備考
山東	廣饒	王家屋子、張家屋子、李家屋子、小趙家屋子、唐家屋子、韓家屋子、	沙土	土棉、高粱、穀、	八元至廿元	上列村名係擇圖中村莊之較大者列入其他從略以下倣此
同上		小康家屋子、	沙黄土	豆、棉花、高粱、	二元至廿元	
同上			沙土及膠淤	豆、高粱、	十元至廿元	
同上		趙莊、王家屋子耿井、李家屋子、		豆、高粱、	二十元至四十元	上列地畝以七百廿方步爲一畝
同上		陳家屋子、辛鎮、	鹹地	豆　蘆	十元至四十元	
同上		羊角溝、	黄土	魚、蝦、鹽、	十元至六十元	

第三十八章　山東省霑化縣濱縣利津縣幅

（圖號一二〇—三七—五）

第一節　河流與堤埝險工

黄河自利津縣南來溜射北岸綦家嘴轉正東略偏東北側注南岸佛頭寺王榮園爲家莊北岸劉家河小李莊按圖内小李莊與綦家莊之間爲全河面最窄處寬僅一千公尺春季開河常有冰凌擁擠抬水高漲情形大汛水溜甚急淘刷力量亦大自此以下溜勢仍略偏東北直射北岸王莊該處爲黄河最下游險工自王莊往東河勢頗順兩堤平穩

黄河於民十八年前原在利津縣之甯海鎮折向東北流即清咸豐五年銅瓦廂改道後之第一尾閭自十八年夾河決口乃改行

今道原有入海故道已悉為耕地矣

黃河地形圖(圖號一二〇—三七—五)險工表

險工名稱	縣別	岸別	汛別	起訖地點	險工情形	防護狀況	備考
綦家嘴	利津	北岸	北六分段第三防汛	三九四、二公里至三九四、七公里	綦家嘴險工當全河之衝無論河水大小皆頂衝大溜背河低窪有積水	石壩四座石垛二座楷垛十三座	
劉夾河	同上	同上	北六分段第三防汛	三九九、七公里至四〇〇、三公里	河流順適冲刷尚不甚厲	石壩八座石垛四座均係十餘年前所修淤沒後又復刷出多殘破不整	劉夾河舊為極險工段十六年後漸次淤墊二十年後又漸次還原
小李莊	同上	同上	同上	三九九、五公里至三九九、七公里	河形順直工情下首着重上首較輕	石垛二座柳垛一座	
王莊	同上	同上	同上	四〇五、五公里至四〇七、四公里	王莊為黃河最下游險工河形坐灣大溜頂衝春季開河又常有冰凌擁擠抬高水位情形	石壩六座磚壩十一座石垛廿一座柳垛二座楷垛二座	北六分段第三防汛駐在地
佛頭寺	同上	南岸	南四分段第三防汛	四三七、五公里至四三八、一公里	臨河水溜甚急背河地勢低窪有積水無圈堤	石壩二座石垛四座楷垛十九座	
王菜園	同上	同上	同上	四四三、〇公里至四四二、一公里	王菜園一帶舊為平工廿年後河水東徙始漸次逼近堤身現在河形尚順工情不甚嚴重	現修排砌石壩一座長三十四五公尺以根基未固仍在繼續修拋中	十七年春開凌時期決口兩道當年合龍
魯家莊	同上	同上	同上	四四三、五公里至四四三、七公里	大汛水溜甚急沟刷力甚大背河地勢低窪有積水無圈堤	排砌石壩四座排砌石垛四座丁廂楷垛二座	按魯家莊一作路莊

第二節　地方概况

本幅圖内霑化濱縣村莊甚少利津縣佔大多數均係沙碱之地產量不豐如利津縣東堤村等處飲料污濁又因風沙甚大該縣之大荀王莊及濱縣之小荀王莊等處居民十之八九均罹眼疾地方苦寒可以概見惟黄河自改道後故道皆成可耕之地故人口稠密農村富庶利津縣之鹽窩鎮約有人口九百戶鎮内有醫院電話郵政代辦所短期學校等設備並有長途汽車上通利津下通利津屬各大鎮地面亦稱平静近來逃荒該地者甚多

山東省政府建設廳曾擬在沿河各段安設虹吸管以淤灌地畝改良土質藉可供給地方飲料圖内北岸利津縣王莊現已興工舉辦將來成績必甚優良

第三節　土質土産及地價

據調查所得各縣農村之土質土產地價各項依次列表如下以供參閱

黄河地形圖（圖號一二〇—三七—五）各縣農村土質土産地價調查表

省名	縣名	村名	土質	土產	地價（畝）	備考
山東	利津	訂河鎮九百戶	黄沙淤土	麥、豆、高粱、棉花	三元至五元	上列村名係擇圖中村莊之較大者列入其他從略以下倣此
	利津霑化	車王莊、崔家窩鋪、張王莊、孫子戶莊、	黄土沙碱地	豆、花生、高粱、棉花、	三元至卅元	
	利津霑化	利國鎮、南洼、後洼、裴家、來列莊、後裴家、洋江莊、吳家廟、	紅白土	豆、棉、高粱、穀、麥、	五元至五十元	

利津	後形家莊、魏家屋子、老台子莊、	沙淤土	高粱、豆、棉花、	十元至二十元
同上	台子莊、西灘、郭家莊、八里莊、崔家莊、李家莊、狀科茂全莊、陳家鎮、南淤辛莊、	西北係白土含沙東南係紅土含少數鹹中部紅土	東半棉豆、西半棉豆、花生、小米、高粱、	十元至六十元
利津、霑化	馬寮廣、北王參門莊、南王參門莊、	黃沙土北部含鹹性	豆花生爲大宗兼產棉花高粱	三元至三十元
利律	門家一百二十戶	沙土	麥、豆、高粱、棉花、	五元至二十元
同上	鹽窩鎮、十六戶、東里八莊、西里八莊、黃路台、曹家莊、前邢家莊、篩家莊、鮑王莊、北壩莊、孟家灶、孟家莊、台子莊、	廢提以內爲淤土堤外如西北部則爲沙質	高粱、棉花、豆、麥、、	十元至三十元
同上	永富村、五十餘戶、	沙土淤土	麥、豆、高粱、	十元至三十元
利津、霑化	明集、董家莊、齊家莊、趙家莊、灶戶劉家、居戶張家、孔家灶、孟莊、致陳莊、王參門莊、張莊、褚莊、	沙地西北部沙鹹	豆及花生爲大宗兼種棉花	十元至五十元
利津、濱縣	大荷王莊、東雙井、西雙井、西張窩、賈河、東王莊、中王莊、西王、卜家廟、小荷王廟、	沙土	豆、花生、棉花、高粱、	

利津	喬家莊、東雙井、東張窩、前左莊、後左莊、董家樓、董王莊、楊溝沿、薛莊、夾河、十六戶、蘇家莊、張家莊、	東南部多沙提北內係沙淤土部多係沙地	豆、棉、麥、高粱、	十元至三十元	上列村莊地畝普通均以二百四十方步爲一畝
同上	東張莊、傅家窪家馬家屋子、章邱屋子、李家屋子、馮家莊、王家屋子、尚家屋子、東壩又名蘇莊、	沙土	棉、豆、高粱、花生、	十五元至六十元	
同上	東堤村四百戶、	沙土	麥、豆、高粱、	五元至二十元	
同上	崔家莊子、王營子、花台子、周莊、胥莊、陳莊、	沙土及黃土鹹土	棉花豆爲大宗花生高粱次之	十元至四十元	上列村莊地畝以二百四十方步爲一畝
同上	垞莊、	沙土及鹹土	豆爲大宗棉花高粱等次之	十元至三十元	上列村莊地畝以二百四十方步爲一畝
同上	東魏莊、西魏莊、小于家莊、小王莊、左家莊、小高莊、大家莊、小王莊、棗園孫家莊、紀楊莊、姚劉莊、宋莊、牛莊、韓莊、	黃土含沙	花生、豆、棉花、高粱、	五元至六十元	
霑化	徐家集、高家莊、丁家坊、薛家樓、	同上	同上	同上	
利津	太平莊、全村四十戶、	沙鹹地	豆、花生、棉花、	十元至五十元	
同上	鄭王莊、趙馬莊、前薛莊、皇后、施王莊、戈武村、後薛莊、東西王莊、尚家莊、姜莊、	沙土	棉、豆、穀、高粱、花生、	二十元	

黃河地形圖圖莊

同上	小償海、茶棚、褚家莊、小巴家莊、巴家集、尙莊、秦家莊、小鍋頭	大部沙地	豆、棉、高粱、穀、麥、	八元至十八元	上列村莊地畝以二百四十方步爲一畝

第三十九章　山東省　利津縣廣饒縣幅

（圖號一二〇—三七—六）

第一節　河流與堤埝險工

黃河由西來經合龍處往東北流距海甚近分流較多兩岸亦無大堤據廿五年查勘海口報告全河大溜沿合龍處直注東北由左莊（按左莊已于是年被大溜冲沒現無遺址）迤下共分四股至入海處而成三股一名神仙溝一名陡溝一名潭溝子此三股僅見過水其他一股則爲寬溝子係最近刷通成爲正河宣洩通暢

民國廿五年以前河流至合龍處之西折向東南至永豐莊一帶分爲二股一股往南爲南股一股往東南流爲北股迨廿五年夏黃河在合龍處決口直奔東北改行今道而舊道遂廢

黃河自改道往東北流後其南部仍多積水不能耕種該處墾區辦公處曾督率災民在本圖之中部築堤一道以禦河水但以水大堤小以致在十三村之北決口冲有溝渠甚多

第二節　近年水患及被災狀況

利津縣之卜家廟篩屋子探馬橋及楊家河季家屋清疙疸汪二河六百步等村自民十七年紀家莊黃河決口當時各村均被淹

沒水退後漸次恢復舊狀又被民廿五年六月左莊合龍處決口東南近門小村漂沒無數幸西宋辛莊民均受災稍輕上述村莊以地勢低窪河無堤防故最易受災連年損失迄無甯歲又該縣之荆條嶺秋家坎子以及第一、二、四、六、七、八、十二、十三、十四、二十、二十一、二十二、等村之北部均易受黃河水漫溢之患惟黃河故道自大溜改道後不惟水患可免且已連歲豐收矣

第三節　地方概況

凡濱海一帶可耕土地以黃河無固定入海河槽兼無大堤防範最易被水淹沒故村舍寥寥人口極少利津縣之六百步村居民僅十戶亦多爲乞討至此暫避風雨者河中時有漁船依打魚爲生此外無農作土地大半荒蕪惟卜家廟簿屋子楊家河季家屋一帶地方平靜人民殷實又黃河故道村莊如廣饒縣之宮莊屋子張家屋子利津縣之田家屋子等處土地肥沃近亦豐收該處人烟稠密與內地村莊相彷彿

利津縣之永安鎮棖台劉家屋子趙鳳鳴屋子四頃地百頃地以及第二、三、七、九、十二、十三、十四、十五、十六、十七等村土地原屬一片荒涼居民亦極稀少自黃河在董莊決口偏地災民山東省政府乃將利津縣濱海一帶開闢爲第一墾區將災民移居該地墾植凡墾區內每壯丁一名授田三十畝(官畝)初到時由官方供給食糧並耕具牲畜折價若干作爲貸款俟收獲後將貸款還清所授之田即歸私有而有產權每村設有墾區辦公處一所以管理災民行動頗受限制如有他往須先請假有親友來亦必報告故地方平靜秩序甚好

第四節　土質土產及地價

據調查所得各縣農村之土質土產地價各項依次列表如下以供參閱

黃河地形圖(圖號一二〇—三七—六)各縣農村土質土產地價調查表

省名	縣名	村名	土質	土產	地價(畝)	備考
山東	利津	卜家廟、篛屋子、探馬橋、陳屋子、大廣子、宋王莊、	東南半部係紅沙淤土兼含鹹西北半部白沙淤土	棉花、豆、高粱、	四元至六十元	上列村名係擇圖中村莊之較大者列入其他從略以下倣此
	同上	楊家河、季家屋、清疙疸、架屋子、汪二尾、劉家尾、新探馬橋、頭段、二段、三段、篛家屋子、大其友、郭家屋子、	西半部白沙土東半部紅沙土含鹹自廿五年洪水後該半部盡爲淤沙含鹹	棉、高粱、豆、	二元至六十元	
	同上	六百步村十戶、	淤沙參半	水草、蘆葦、	地無定價最貴者每畝約可二元至三元	
	同上	永豐莊、豐龍家、永合楊、	沙土	豆、麥、高粱、	三四元	
	同上	荆條嶺、第七村、第一村、秋家圩子、	膠淤及沙土	高粱、豆、及蘆葦、	三四元至十元	上列各村地畝以七百二十方步爲一畝
	同上	第二、四、六、八、村	南部多沙北部多鹹	豆爲大宗其他農產甚少	官產無價	
	同上	第八、十二、十三、二十一、十四、二十二、二十、村	沙粘土	豆爲大宗高粱、棉花間有之	同上	將來二十一、二十二、十二、三村合爲靜海鎮
	同上	齊魯校田、馬方醫院屋子、第十大組又名二十三村、舊五大組又名十二村、(現無居民)	黃土	大豆、蘆葦、	正在墾植現無地價	

縣別	村名	土質	農產	地價	備考
同上	荀家屋子、張家屋子、壽光屋子、壽光圩子、民豐鎮、	除西端係兩合土外餘大部係沙地	豆麥高粱	四元	
同上	永安鎮、榎台第二村、第三村、第七村、第九村、第十二村、第十七村、第十三四村百頃地	堤北多沙堤南多淤	豆爲大宗其他穀類多不見	官畝約值三元	
同上	第十五村之一小部	鹽鹼	豆小鹽蘆葦		
同上	劉家屋子、趙貝鳩屋子、百頃地惠魯學田、第十七村、第廿五村、第七十六村、	西部多沙東部略帶鹼性	豆爲大宗	官畝約值二三元	
同上	田家屋子、檢樹屋子、陳家屋子、巴家屋子、	沙土與淤土之混合土	棉花豆高粱	二十元	上列各村地畝以七百二十方步爲一畝
廣饒	官莊屋子、蕭家屋子、李家屋子、東西郭家屋子、王家屋子、荀家屋子、	同上	同上	同上	鑿深土坑取水但水量極少故飲料困難
同上	人字局閻坨	沙土及膠淤	豆爲大宗高粱次之	四元至十元	飲料極爲難取多挖坑取水上列各村地畝以七百二十方步爲一畝
利津廣饒	閻坨子、巢組、第十九村、第四小組、第十一村、災民耕公園、王會長屋子、民利田公司、程寨、第四大組、十八村、二口子第六組、	多沙土及淤土	大豆	現正懇植無價	此帶吃水極困難挖坑取水水量不多
	二口子、	沙土及膠土	蘆葦		取水困難災民多掘土坑取水但其量甚微且極苦鹹

第四十章　山東省 霑化縣 利津縣 幅

（圖號一二〇—三七—一）

第一節　河流與堤埝險工

本幅圖內有黃河故道及徒駭河除黃河故道忽斷忽續僅有乾溝遺跡外徒駭河實橫貫本圖南北可以通航直達海口該河支流甚多雖係時令河但于夏秋之際或海潮上漲水流不斷

徒駭河在本圖霑化縣方家之西寬約四十公尺深約一公尺半由上游而來往正北流經久山鎮之東垛郡村之西該處有二支流改向東北分二股一在中部長約七公里許一在東北長一公里餘均已乾涸倘遇海潮上漲則可行船因湖水關係故水面變化頗大

第二節　地方概況

霑化利津兩縣以地近海濱村莊稀少土地荒涼民廿五年山東省政府曾明令被災人民移居屯墾嗣後各省各縣災民前往該地墾植者甚衆乃建立新村分撥土地如利津縣之陳家屋後邱家窪別家屋子陳家屋子蔣家屋子霑化縣之第一二三四六八九十十一村壽光屋子李家屋子閣屋王安村柳家園混水汪中和堂小沙甜水井等村均先後實行墾荒其出產最大體尙能供給需要惟飲料甚少且多鹹腥之味又各村亩經草創醫藥尤感缺乏此二者實爲墾民中之最大問題急宜設法改善之

義和莊爲霑化縣之一大鎮有居民一千餘戶該鎮正屆發達時期有鄉農學校及男女初級小學設治處辦事處山東省政府曾擬將海濱墾區設縣亦設於此治安方面有水上保安隊駐于此電話可直達霑化縣及太平鎮等處每日均有汽車往來該鎮雖有飲料但須購買仍感困難

下劉鐸園二村距海濱甚近亦爲霑化縣之大鎮因位于徒駭河旁故多養船爲生者其航綫昔年可至營口大連九一八後祇有天津及沿山東半島各埠地方尙稱殷實惟一切建設落後民智低落

又該縣之邵家莊東西孔家羅家等村民性誠樸多以農爲業頗稱富庶該地因距海濱甚近所謂退海之地莊村稀少地多未墾本地所產糧食除供給本地外並運往他處銷售其途經係運利津轉運濟南或運徒駭河沿岸轉運天津等處各村皆有小學校並有

汽車可以通行霑化縣城及義和莊其東部有名功勞兵村係退武軍人來此開墾者

第三節　土質土產及地價

據調查所得各縣農村之土質土產地價各項依次列表如下以供參閱黃河地形圖（圖號一二〇—三七—一）各縣農村土質土產地價調查表

省名	縣名	村名	土質	土產	地價（畝）	備考
山東	霑化	無村莊	紅土含鹽	高粱、棉花、	二元至十二元	上列村名係擇圖中村莊之較大者列入其他從略以下倣此
	同上	小沙、甜水井、朱家巷、仁義莊、耿家局、十字河、大王莊、蒲台屋、木橋屋、盧磨坨	紅沙土	高粱、棉花、豆、小米、	三元至三十元	
	同上	中和堂村	沙土黃土	大豆、高粱、棉花、	三元至十元	
	同上	泥水汪村	同　上	高粱、棉花、豆、	二元至十元	
	同上	門家	紅鹹土	棉、高粱、	二元至二十元	
	同上	三家莊、平安鎮、郭王莊、甜水井、新安村、巨野村、瓊林市、公信村、河西村、吳全振屋子、天公會屋子、西華村	南部多沙土東北部紅土西北部多鹹地	棉花、高粱、豆、穀、花生、	六元至十五元	
	同上	太平鎮、人和莊、順和村、李大屋子、太平村、范家園、三頃六黃殿村、樂民村、鐵甲屋子、李家集、龍泉村	白沙土	高粱、花生、小米、棉花、豆、麥、	三元至五十元	

同上	大英舖、北河沿、西韓家墕、東韓家墕、壽光屋子、六頃五、功勞兵屋子、博興屋子	白沙土	豆、棉花、穀、高粱、花生、	三元至二十元
霑化利津	北泥水汪、西泥水汪、陳善樂屋子、南泥水汪、前勸學所、後勸學所、李家屋子	東北紅鹹土西南白沙土含鹽	棉、豆、高粱、	四元至三十元
霑化	柳家園	白沙土	豆、高粱、棉花、花生、穀、	五元至二十元
同上	王安村、大樓屋子、東西肥城屋子、西城屋子、黃家屋子、河灘屋子、丁家村、	同上	高粱、棉、豆、小米、花生、	六元至六十元
同上	義和莊、王家集、魚鱗屋子、長清屋子、功勞兵屋子、三頃三、蒲台屋子、太平莊、	白土	高粱、穀、豆、花生、棉花、	五元至五十元
利津霑化	李家坨、劉家坨、頭口屋、二口屋、三口屋、四口屋、五口屋、六口屋、七口屋、八口屋、九口屋、三口村、牛家屋子、	白沙土含鹽	棉、豆、高粱、花生、	六元至三十五元
霑化	下鄧村、梁鄧村	東部含沙西部鹹地	高粱、豆、麥、穀、	五元至四十元
同上	下閻屋子、華家園、西陳閻、南陳子閻、東陳子閻、李家草場、	紅鹹土	棉花、豆、高粱、花生、小米、	二元至三十元
同上	丁家屋子	沙土	棉花、高粱、大豆、	三元至十元

霑化	大王家莊、梁家莊、壽光屋子、李家屋子、李家集、	沙土	豆、高粱、棉花、	四元至十五元
利津	鄧家草場、蔣家屋子、家旺屋子、崔家臥坨、			
利津	劉坨子、張家屋子、孟家屋子、汀河屋子、	東南紅土西北白沙	棉、豆、高粱、小米、	四元至三十元
霑化	久山鎮	黃土	豆、高粱、麥、穀、	五元至四十元
同上	邵家屋子、房家屋子、鮑家樓，刺蓬溝、邢家屋子、	紅白土	小米、棉花、豆、高粱、花生、	五元至四十元
同上	下河村	白沙土	高粱、棉花、黃豆、	五元至二十元
霑化 利津	流口、 流口、王寶三屋子、大乍里、五股道、劉窩屋子、家旺莊、蔣家旺莊	西北部含沙	高粱、豆、穀、棉花、	四元至二十元
利津	王家窪、王家下河、王家屋、南馮、北馮、陳家屋、董江王、汀河街	白土	棉花、豆、花生、小米、高粱、	三元至四五十元
霑化	方家	沙土	黃豆、高粱、棉花、	五元至三十元
同上	邵家莊、東孔家、西孔家、羅家、陳家廟、李果家莊、功勞兵村、	中部為可耕之黃土地西北部保未開墾之荒草鹼地東部含沙帶鹼	高粱、棉花、豆、麥、	五元至四十五元

同上	馬營、第一村、第三村、第四村、第六村、第八村、第九村、第十村、第十一村、平陰屋子、	紅沙土含少量鹼性	豆、棉花、高粱、	五元至三十元
利津	小朱里莊、別家屋子、陳家屋子、小馬溝屋子、武灘窩、楊家屋子、王家窪	中部係淤土西南部沙土	高粱、豆、棉花、	五元至三十元
同上	陳家屋、後邱家窪、龍王廟、平家屋、林家屋、馬屋子、崔家屋子、	黃淤沙土兼含少數鹼性	豆、棉花、小米、	十元至三十元

第四十一章　山東省　利津縣　幅

(圖幅一二〇—三七—二)

第一節　地方概況

地近海濱為潮漲潮退之區除潮後淤陷乾溝及少產蘆葦荊條外均係鹽鹼或白鹼地利津縣之二溝子樞臺屋子數村統計不過一百戶雖有耕地但因距海祇二十餘華里每當東北風大作偏地即有海潮農產各物最不易生故當地居民不以農事為主而多以捕魚為生其餘距海路遠之地或尚荒涼或已開墾矣農民大半由他處移來如利津縣之宋家屋子壽光屋子麵條溝子夾河屋子以及前小街李家坨第二三村等村均已分區墾植所謂屋子者即農民於種地時搬來秋收後搬去換言之乃臨時收穫農場年來墾區漸廣各省各縣災民移往該地種植者日衆惟生產薄弱生活簡陋墾區內飲料尤感困難是宜設法改善之

利津縣之羅家段家梁家疙疸等村自民十五年薛馮二莊黃河決口當地被淤高一公尺餘因無民埝屏障受災不輕故現時農田倘受其害出產不豐惟人民樸實地方平靖間有經商在外者

第二節　土質土產及地價

據調查所得濱海各地農村土質土產地價各項依次列表如下以供參閱黃河地形圖（圖號一二〇—三七—二）濱海農村之

土質土產地價調查表

省名	縣名	村名	土質	土產	地價（畝）	備考
山東	利津	羅家、段家、梁家疙疸、大王家、宋王莊、韓家屋、畢家莊、潲河、前灶子、後灶子、林家屋、	淤沙紅土兼含鹹性	高粱、小米、豆、棉、	五元至四十元	上列村名係擇圖中村莊之較大者列入其他從略以下倣此
	利津	前小街、李家坨、第二村、第三村、	西部紅白土含少量鹹東部盡係紅鹹土	高粱、棉、豆、	二元至四十元	
	利津	後畢莊	沙土黃土	高粱、棉、豆、	十元至五十元	
	利津	蕭聖廟、巴家屋子、王家莊、南薄家、夾河村、李家屋子、薄家嗍、潲子村、	黃土含沙東部氷鹽之鹹地	高粱、豆、穀、荊條、	三元至六元	
	利津	二溝子、桓台屋子、四臨	西部紅白土含鹽性東部紅土含多量鹽性	棉、豆、高粱、	三元至二十五元	
	利津	麵條溝子、夾河屋子、王莊、五頃、小夾河、楊家屋子、蔡家屋子、災民第一二三村	黃土	豆、高粱、穀、	三元至八元	
	利津	刁口新村	鹹土沙土	高粱、荊條、	無價	

利津　宋家屋子、海光屋子、鹽山屋子、蔡山屋子、第一村至第六村、　黃土　豆、高粱、穀、棉花、　三元至七元

第四十二章　山東省 霑化縣 幅

（圖號一二〇—三八—一三）

本幅圖內除窪地遇潮漲時潮成湖澤外別無河流亦無村莊土質係紅土含鹽產高粱地價每畝僅值數元附據近村民云三十年前此地乃海灘自退海水後高地種高粱窪地捕魚蝦但最近數年海水又退低不少窪地遇潮成湖可以行小舟至海口退潮則爲不毛之地草木難生故無村莊雖有耕地收穫甚少

第四十三章　山東省 利津縣 幅

（圖號一二〇—三八—一四）

本圖無河流東臨海邊均鹽鹹地境內無農產亦無村莊其東北及西北部爲渤海黃河地形圖至此爲止

後記

我是從數學史學習中逐步瞭解治黄史的。漢代《許商算術》的作者許商，好天文術數之事的王景、李尋善，他們既是數學家，又以治理黄河而聞名。我國現存最早的河工著作《河防通議》，將中國古典數學天元術運用到治黄工程中，創造了中國古代工程數學的一個高峰。除了數學史之外，内蒙古師範大學科學技術史研究還以少數民族科技史和地方科技史見長。李迪先生曾指出地方科技史研究的重要内容是人與自然環境變遷、科技遺迹與自然環境以及環境與生産的關係，此類研究具有明顯的現實意義和重要價值。想要通過大科學史研究，弄清變遷的原因和未來的發展趨勢，産出對于地方各方面的開發有更大、更直接價值的成果，這類研究大多離不開文獻。之後，李迪先生更是直接指出科技史研究不僅是對過去的科技工作和科技成果的回顧與總結，而且要着眼于現代，讓古人的發明創造爲今人服務，繼續在現代發揮其應有的作用。我將先生大科學史的治學理念視爲座右銘，在科研工作中更加注重讓科研成果服務于國家戰略與區域發展需求。

二〇一九年九月，習近平總書記在黄河流域生態保護和高質量發展座談會上指出，黄河流域在我國經濟社會發展和生態安全方面具有十分重要的地位。黄河流域生態保護和高質量發展是重大國家戰略。同年十月，黨的十九届四中全會提出『加强邊疆治理，推進興邊富民』，首次把邊疆治理寫入黨的文件。内蒙古師範大學組織科研力量，積極申報研究闡釋黨的十九届四中全會精神的國家社科基金重大項目，其中『中國特色社會主義民族區域自治制度自信研究』項目獲批。我承擔其中的『鑄牢中華民族共同體意識下的民族自治地方文化自信研究』子課題，而黄河是首選文化要素。二〇二四年，該項目順利結項，我也對黄河文化所藴含的時代價值有了更深的體會。

有鑒于此，我帶領文化遺産智能應用服務中華民族共同體建設『英才興蒙』團隊，以黄河爲主題，開展了文獻、文物、傳統工藝等多模態資源庫建設和跨模態應用示範工作。這次與内蒙古人民出版社合作出版的《黄河國家治理文獻集成》，旨在梳理和總結文獻中所藴含的歷史經驗和文化信息，爲當代及未來的黄河治理和地方文旅産業發展提供參考與借鑒。

感謝内蒙古民族文化産業研究院、巴彦淖爾市圖書館等单位的傾力相助，感謝内蒙古自治區黨委宣傳部、内蒙古出版集團、内蒙古人民出版社對本項目的支持與幫助。

在此，也向致力于黄河治理和大河安瀾的歷代先賢與當代典範表達崇高的敬意：你們的不懈努力與無私奉獻，爲黄河的安寧與人民的福祉築起了堅實的防綫；你們的智慧與勇氣，將永遠銘刻在中華民族的歷史豐碑上，激勵後人不斷前行。

董杰

二〇二五年一月